U0126222

張舜徽著

四庫提要敘講疏

臺灣學生書局印行

自序

往余爲大學文科講授「國學概論」，即取《四庫全書總目提要敘》四十八篇爲教本。昔張之洞《輶軒語》教學者曰：「將《四庫全書總目提要》讀一過，即略知學問門徑矣。」余則以爲此四十八篇者，又門徑中之門徑也。苟能熟習而詳繹之，則於群經傳注之流別，諸史體例之異同，子集之支分派衍，釋道之演變原委，悉憭然於心，於是博治載籍，自不迷於趣嚮矣。因與及門講論而疏通證明之。首取《提要》本書以相申發，次采史傳及前人舊說藉資說明，末乃附以愚慮所及而討論之。當時諸生各有所記，詳略不同。迨講畢，始自錄所言，述爲《講疏》。裒然成帙，不忍棄捐，亦聊以存吾一時心力之所聚云爾。一九四七年八月既望，舜徽記於蘭州大學之靜觀園。

四庫提要敘講疏

目次

經部總敘

經稟聖裁，垂型萬世；刪定之旨，如日中天；無所容其贊述。

此昔人尊經崇孔之說也。自司馬遷以來，儒者莫不言孔子刪《詩》、《書》，定《禮》、《樂》。然無徵於《論語》，復不見稱於孟、荀，秦火以前，無此說也。《論語》爲孔門所同記，於其師一言一行，乃至飲食衣服之微，喜樂哀戚之感，無所不記。使果有刪定之弘業，何其弟子無一語及之？史遷嘗稱「孔子以《詩》、《書》、《禮》、《樂》教弟子」，然《管子》中已云「澤其四經」，可知以《詩》、《書》、《禮》、《樂》爲教者，不自孔子始。此四經者，皆舊典也，孔子特取舊典爲及門講習之，所謂「述而不作」也。善夫龔自珍之言曰：「仲尼未生，先有六經；仲尼既生，自明不作。仲尼曷嘗率弟子使筆其言以自制一經哉！」見《六經正名》必具此識，而後可以不爲俗說所惑。蓋自漢世罷黜百家，獨崇儒術，言及六籍，必推尊爲孔子所刪定，此猶言易卦者，必託名於伏羲；言本草者，必託名於神農；言醫經者，必託名於黃帝；言禮制者，必託名於周公。莫不高遠其所從來，以自取重於世，後先相師，如出一轍，學者可明辨之。

所論次者，詁經之說而已。

歷代詁經之說，至爲繁雜。《四庫總目》依時世先後著錄其書名、卷數，復各爲《提要》，繫於每書之下。第其高下，評其得失，而歸於辨章學術、考鏡源流。蓋遠規劉向《別錄》之例，近效晁公武《郡齋讀書志》、陳振孫《直齋書錄解題》之體，而翔實過之。徧及四部，皆有評述，不第論次經部諸書而已。

自漢京以後，垂二千年，儒者沿波，學凡六變。其初專門授受，遞稟師承。非惟詁訓相傳，莫敢同異；即篇章字句，亦恪守所聞。其學篤實謹嚴，及其弊也拘。

此言漢世五經博士之學，流於拘隘之弊也。漢初經籍復出，學尚專門，謹守師法，無敢踰越。此經不通於彼經，此說不通於彼說，五經分立，不合不公。一經之中，又各有門庭，互相攻詰。見之史漢儒林傳者，無慮皆一時經師耳。專固已甚，流弊日滋，故論者病之。

王弼、王肅稍持異議。流風所扇，或信或疑。越孔、賈、啖、趙，以及北宋孫復、劉敞等，各自論說，不相統攝，及其弊也雜。

此言自魏晉以至唐宋，治經風氣流於泛雜之弊也。漢儒說《易》，多主象數。魏王弼注《易》，排擊漢儒，自標新學，乃趨於專言名理。漢末經生，多宗鄭玄之學。，王肅獨不好鄭氏，爲《詩》、《書》、《禮》、《論語》、《左傳》新注以敵之。唐初孔穎達撰集《五經正義》，賈公彥述《周禮》、《儀禮》疏，亦時出己見，於舊注不爲苟同。啖助、趙匡說《春秋》，與三傳立異，啓廢傳解經之漸。至宋孫復撰《春秋尊王發微》，劉敞撰《春秋傳》，逞臆見說《春秋》，務以攻擊三傳相高。而穿鑿煩碎之弊日生，此其所以雜也。

洛閩繼起，道學大昌，擺落漢唐，讀研義理。凡經師舊說，俱排斥以爲不足信。其學務別是非，及其弊也悍。原注：如王柏、吳澄攻駁經文，動輒刪改之類。

此言宋元諸儒說經，空所依傍，以至無所顧忌之弊也。洛陽程頤作《易傳》，不及象數；閩中朱熹作《詩集傳》，屏棄〈小序〉。不守漢唐窠臼，志在闡明理道。王柏作《書疑》、《詩疑》，乃至併全經移易補綴，刪削原文；元吳澄撰《易纂言》、《書纂言》、《春秋纂言》，語多杜撰，於經文復不免割裂點竄；故論者病其強悍耳。

學脈旁分，攀援日眾。驅除異己，務定一尊。自宋末以逮明初，其學見異不遷，及其弊也黨。原注：如《論語集注》誤引包咸夏瑚商璉之說，張存中《四書通證》即闕此一條，以諱其誤。又如王柏刪〈國風〉三十二篇，許謙疑之，吳師道反以爲非之類。

此言明初經義定於一尊，以至偏黨之弊也。元仁宗延祐中，定科舉法：《易》用朱熹《本義》，《書》用蔡沈《集傳》，《詩》用朱熹《集傳》，《春秋》用胡安國《傳》，惟《禮記》猶用鄭《注》。明初承用元制，《禮記》則去鄭《注》而代以陳澔《集說》。永樂中又詔儒臣纂《四書五經大全》，空疏固陋，益甚於前，顧炎武所謂「《大全》出而經說亡」，實爲此而發也。偏黨之弊昭然矣。

主持太過，勢有所偏。材辨聰明，激而橫決。自明正德、嘉靖以後，其學各抒心得，及其弊也肆。原注：如王守仁之末派，皆以狂禪解經之類。

此言明代經說定於一尊之後，才智之士，摧破藩籬，自造新說，以至放肆之弊也。自宋以經義取士，守一先生之說，至明而弇陋益甚。物極必反，乃有擺脫羈絆，競以臆說解經者，乘之而起。於是空疏不學，皆得名爲經師。正德，嘉靖以後，說經之書日多，益潰決而不可收拾。至於豐坊僞造子貢《詩傳》、申培《詩說》，世人亦莫之能辨矣。蓋放肆之極，必至於此也。

空談臆斷，考證必疎。於是博雅之儒，引古義以抵其隙，國初諸家，其學徵實不誣，及其弊也瑣。原注：如一字音訓，動辨數百言之類。

此言清初諸儒力矯明末之病，經學得以復興，由是考證之風大振，不免流於煩瑣之弊也。自宋人以空言解經，漢唐注疏，棄同糟粕。元明以經義取士，天下學者埋頭講章，經學之湮晦者數百年。明亡，崑山顧炎武倡「經學即理學」之說，數朝積弊，爲之一振。由是蕭山毛奇齡解《易》說《禮》，太原閻若璩治《尚書》，德清胡渭辨《易圖》，咸崇考證，開清代經學之先聲，秀水朱彝尊、武進臧琳，更究心故訓，立清代經學之基礎。其後吳、皖諸儒繼起，清代經學乃臻於極盛。一人獨治一經，專著一書者，風起雲湧。末流所屆，自不能免於煩辭瑣碎之弊。

要其歸宿，則不過漢學、宋學兩家，互爲勝負。夫漢學具有根柢，講學者以淺陋輕之，不足服漢儒也；宋學具有精微，讀書者以空疎薄之，亦不足服宋儒也。

《四庫總目》卷三十二〈孝經問提要〉有云：「漢儒說經以師傳。師所不言，則一字不敢更。宋儒說經以理斷。理有可據，則六經亦可改。然守師傳者，其弊不過失之拘；憑理斷者，弊或至於橫決而不可制。王柏諸人，點竄《尚書》，刪削〈二南〉，悍然欲出孔子上，其所由來者漸矣。」此論亦甚賅簡，足與敘文相發明。「漢學」、「宋學」之名，發自清儒。名之不正，孰甚於此。最初見於《四庫提要》，其後江藩撰《漢學師承記》、《宋學淵源錄》，於是門戶之見，牢不可破，彼此攻詰，勢同水火。當江氏《漢學師承記》始成，龔自珍即遺書規之，斥其立名有十不安。大意以爲「讀書實事求是，千古同之，此雖漢人語，非漢人所能專，一不安也。本朝自有學，非漢學；有漢人稍開門徑，而近加邃密者；有漢人未開之門徑，謂之漢學，不甚甘心，不安二也。瑣碎餖飣，不可謂非學，不得爲漢學，三也。漢人與漢人不同，家各一經，經各一師，孰爲漢學乎？四也。若以漢與宋爲對峙，尤非大方之言，漢人何嘗不談性道，五也。宋人何嘗不談名物訓詁，不足概服宋儒之心，六也。近有一類人，以名物訓詁爲盡聖人之道，經師收之，人師擯之，不忍深論，以誣漢人，漢人不受，七也。漢人有一種風氣，與經無異，而附於經。本朝何嘗有此惡習，本朝人又不受矣，八也。本朝別有絕特之士，涵詠白文，創獲於經，非漢非宋，亦惟其是而已，方且爲門戶之見者所擯，九也。國初之學，與乾隆初年以來之學不同，國初人即不專立漢學門戶，大旨欠區別，十也。」見〈與江子屏箋〉。龔氏識議通達，足以益人意智。且勸江氏改書名爲《國朝經學師承記》，江氏智不逮此，未之省也。

消融門户之見，而各取所長，則私心祛而公理出，公理出而經義明矣。蓋經者非他，即天下之公理而已。

此論是矣。然通觀《提要》全書，於評定學術高下，審斷著述精粗之際，仍多揚漢抑宋之辭。蓋習尚移人，賢者不免。讀是書者，宜知其論列古今，自不無偏袒之見也。良以紀昀學術根柢，仍在考證。江氏《漢學師承記》，取與江永、金榜、戴震諸家並列，以其治學趨向同耳。其撰述《提要》有所軒輊，不足怪也。

今參稽衆說，務取持平，各明去取之故，分爲十類：曰易、曰書、曰詩、曰禮、曰春秋、曰孝經、曰五經總義、曰四書、曰樂、曰小學。

此承《漢書・藝文志》、《隋書・經籍志》之舊目而稍變通之耳。《漢志》序六藝爲九種，即易、書、詩、禮、樂、春秋、論語、孝經、小學也。《隋志》益以圖讖爲十類。《漢志》有「五經雜議」，入孝經類，《隋志》附五經總義於論語類。《四庫總目》則以五經總義自爲一類，廣《論語》爲四書，不列圖讖，故仍爲十類。

易類敘

聖人覺世牖民，大抵因事以寓教。《詩》寓於風謠，《禮》寓於節文，

《尚書》、《春秋》寓於史，而《易》則寓於卜筮。故《易》之爲書，推天道以明人事者也。《左傳》所記諸占，蓋猶太卜之遺法。

此明先民因事寓教，《易》則寓於卜筮之義。《四庫總目》卷九，〈先天易貫提要〉有云：「聖人立教，隨時寓義，初不遺於一事一物。三代以上，無鄙棄一切空談理氣之學問也。故《詩》之教，理性情，明勸戒，其道至大；而謂《詩》非樂則不可。《春秋》之教，存天理，明王政，其道亦至大；而謂《春秋》非史則不可。聖人準天道以明人事，乃作《易》以牖民。理無迹，寓以象；象無定，準以數；數至博而不可紀，求其端於卜筮。而吉凶悔吝、進退存亡，於是見之，用以垂訓示戒。曰蓍曰龜，經有明文；曰揲曰扐，傳亦有成法。豈取盡性至命之書而褻而玩之哉！俗儒但見拋珓擲錢之爲卜筮，又見夫方技之流，置義理而談趨避，遂以爲侮我聖經，乃務恢其說，欲離卜筮而談《易》。然則四聖人中，周公居一，公作《周官》，以三《易》掌之太卜，無乃先不知《易》乎？是猶觀優伶歌曲，而謂聖人必不作樂；觀小說傳奇，而謂聖人必不作史也。」

此論可與敘文相發明。證之秦焚《詩》《書》，而《易》以卜筮之書獨存，可知《易》之爲用，固自有所主矣。

漢儒言象數，去古未遠也。一變而爲京、焦，入於禨祥；再變而爲陳、邵，務窮造化；《易》遂不切於民用。

此言漢人京房、焦延壽，宋人陳摶、邵雍之說《易》，舍人事而言天道之弊也。京、焦雜以陰陽災異，陳、邵雜以河圖、洛書，皆非作《易》之本旨，乃所謂《易》外別傳耳。《四庫總目》卷二《讀易詳說提要》有云：「聖人作《易》以垂訓，將使天下萬世，無不知所從違。非徒使上智數人，矜談妙悟，如佛家之傳心印，道家之授丹訣。自好異者推闡性命，鉤稽奇偶，其言愈精愈妙，而於聖人立教牖民之旨，愈南轅而北轍。」此論甚通，足以解蔽祛惑也。

王弼盡黜象數，說以老、莊。一變而胡瑗、程子，始闡明儒理；再變而李光、楊萬里，又參證史事，《易》遂日啓其論端。此兩派六宗，已互相攻駁。

此言自王弼以下說《易》之流派異同。王弼鑒於漢人以陰陽災異解《易》之極弊，起而矯之。重在闡明義理，使《易》不雜於術數。唐初孔穎達等奉詔撰《五經正義》，《易》則專用王注，而眾說皆廢。宋胡瑗說《易》，以義理爲宗；程頤《易傳》，實多本之。《朱子語類》亦稱其說《易》，分曉正當。胡氏未及著述，其門人倪天隱述師說爲《周易口義》，以行於世。李光作《讀易詳說》，專明人事；楊萬里有《誠齋易傳》，引史證經，皆切實近理，愈於以陰陽術數說《易》者遠矣。

又易道廣大，無所不包。旁及天文地理、樂律兵法、韻學算術、以逮方外之爐火，皆可援《易》以爲說。而好異者又援以入《易》，故《易》說愈繁。

此言《易》道溥博，所賅甚廣。隨得一隙而入，皆能宛轉圓通，有所闡發，故傅會之者眾也。《四庫總目》卷九《易存提要》有云：「奇偶陰陽，爲萬事萬物之根本。故《易》道廣大，推之無所不通。律呂爲《易》中之一理，非因律呂作《易》，亦非因《易》作律呂也。歷算亦易中之一理，非因歷算作《易》，亦非因《易》作歷算也。即以醫術而論，榮衛者，陰陽也；七竅者，奇偶也；心腎者，坎離之宅也。其消長則姤復之機，其升降則既濟，未濟之象也。至於五運六氣、司天在泉，無不與《易》通。亦將曰：因醫有《易》，因《易》有醫乎哉！」觀乎斯論，可知傅會《易》義而自成一說者，愈出愈繁，不足怪也。

夫六十四卦大象，皆有「君子以」字，其爻象則多戒占者。聖人之情，見乎詞矣。其餘皆《易》之一端，非其本也。

此言《易》之大用，在乎教人立身處事之道也。如乾象曰：「天行健，君子以自強不息」；坤象曰：「地勢坤，君子以厚德載物」。自乾、坤以逮既濟、未濟等六十四卦，皆有此等語句，其意固自有在。孔子曰：「加我數年，五十以學《易》，可以無大過矣。」（《論語·述而》）可知仲尼學《易》之旨，惟求寡過而已。清乾嘉時，治漢《易》者競起。翁方綱獨曰：「今日讀《易》，惟應翫辭以求聖人教人寡過之旨。至於窮神知化，聖人尚謂過此以往，未之或知。後之學者，焉得而仰窺之。」（答趙寅永書）。其後陳澧亟稱此說可為說《易》者箴砭，斯固治《易》之康衢矣。

今參校諸家，以因象立教者為宗；而其他《易》外別傳者，亦兼收以盡其變。各為條論，具列於左。

此言《四庫總目》經都易類甄錄諸家說《易》之書，仍主兼收之例也。大抵簿錄羣書者，不嫌并蓄；而伏案鑽研者，必有專宗。否則泛濫無歸，終鮮所得，不可謂善學也。清初黃宗羲作《易學象數論》，深斥漢之京、焦，宋之陳、邵，獨取王《注》、程《傳》之說，蓋以魏晉人《易》說，雖祖尙玄虛，而能盡掃象數，獨標卦爻承應之義。視費直以《彖》、《象》、《繫辭》、《文言》解說上下經，若合符契，固猶漢師遺法也。乾隆時樸學大師戴震嘗言：「《周易》當讀程子《易傳》。」見段玉裁所編《年譜》。然則誦習王《注》程《傳》，固今日治《易》者守約之道也。

書類敘

《書》以道政事，儒者不能異說也。

《荀子》曰：「《書》者政事之紀也。」〈勸學篇〉。此一語，足以賅括《書》之體用而無遺。以其爲上古之書，故亦謂之《尙書》。漢人好取《尙書》與《春秋》並論。《禮記·玉藻》：「動則左史書之，言則右史書之。」鄭注云：「其書《春秋》、《尙書》，其存者。」《漢書·藝文志》作「左史記言，右史記事；事爲《春秋》，言爲《尙書》。」其言左右二史所掌，復有不同。蓋古初設史，原不必區分甚嚴，記言者不廢記事，記事者亦兼記言，故古人傳聞異辭，得以彼此互異也。《尙書》所載古代典、謨、訓、誥之文，皆所以紀政事，非專爲記言而作。不必惑於左史右史之說而強分之。

小序之依託，〈五行傳〉之附會，久論定矣。

《尙書》小序，昔人皆以爲漢孔安國所作，然校之西京文字，絕不相類。朱熹嘗辨之，乃後世之依託，非安國手筆也。宋蔡沈撰〈小序〉一卷，亦逐條辨駁，如朱熹之攻〈詩序〉焉。〈洪範〉以五事配庶徵，本經文所有，伏生《大傳》以下，逮京房劉向諸人，遽以陰陽災異附會其文；宋以來解〈洪範〉者，又比合《河圖》、《洛書》以辨其同異。至清初胡渭作《洪範正論》，於漢儒附會之談，宋元變亂之說，一掃而廓除之矣。

然諸家聚訟，猶有四端：曰今文古文；曰錯簡；曰〈禹貢〉山水；曰〈洪範〉疇數。

《四庫總目》卷十二「《日講書經解義提要》有云：「《尚書》一經，漢以來所聚訟者，莫過〈洪範〉之五行；宋以來所聚訟者，莫過〈禹貢〉之山川；明以來所聚訟者，莫過今文古文之眞僞。」此論足以申釋敘文。至於錯簡，亦宋以來所聚訟者也。敘文即揭此四端，下文又分別解之。

夫古文之辨，至閻若璩始明。朱彝尊謂是書久頒於學官，其言多綴輯逸經成文，無悖於理。汾陰漢鼎，良亦善喻。吳澄舉而刪之，非可行之道也。

《尚書》經秦火而亡，至漢初有濟南伏生，口傳二十九篇，以教於齊魯之間，用當時隸書寫之，是爲今文《尚書》。武帝時，魯恭王壞孔子宅。於壁中得《尚書》，以考二十九篇，多十六篇，皆古代字體所書，是爲古文《尚書》。孔安國嘗爲之作傳，以事未得列於學官。西晉末，其書亡。東晉元帝時，豫章內史梅頤，奏上《尚書孔傳》，自云得自安國之後，是爲《僞古文尚書》、《僞孔傳》。自唐初孔穎達等據此本爲之正義，遂大行於後世。宋吳棫作《書裨傳》，乃始疑之。《朱子語類》於此書亦嘗致疑。明梅鷟作《尚書考異》，乃明斥其僞。然所論證，尚不甚確。清初閻若璩撰《尚書古文疏證》（閻著原名如此。世多誤作《古文尚書疏證》，非也。），引經據古，一一陳其矛盾之故，列舉一百二十八條，確不可易。於是晚出《古文尚書》及孔傳之僞，乃已論定。然尚未得造僞者之主名，迨丁晏作《尚書餘論》，始證明出王肅之手。既已成爲定讞，遂無復可翻之案矣。朱彝尊《經義考》卷七十四有云：「是書（指晚出《僞古文尚書》——引者）久頒於學官，其言多綴輯逸書成文，無大悖理。譬諸汾陰漢鼎，雖非黃帝所鑄，或指以爲九牧之金，則亦聽之。」此論較爲持平，故《四庫提要敘文》稱其比之汾陰漢鼎爲善喻也。漢武帝時，汾陰得寶鼎，人皆以爲周鼎，吾丘壽王獨以爲鼎爲漢出，乃漢鼎，非周鼎。事見《漢書·吾丘壽王傳》。

元吳澄撰《書纂言》四卷，專釋今文，於東晉晚出之書，悉屏不論。此本無違於古義，《提要敘》文乃謂其非可行之道者，良以昔人言性、言心、言學之語，宋人據以立教者，其端皆發自古文，故不欲輕議而屏棄之耳。晚出《古文尚書》，雖屬僞造，亦多有古書爲據。爲之一一抉其出處者，則有惠棟之《古文尚書考》，學者可參考也。《僞孔傳》雖亦出於王肅，肅固魏晉間有名經師，如能降低時代，將《僞孔傳》作爲魏晉人書讀，必有可取者。清儒焦循嘗曰：「東晉晚出《尚書孔傳》，至今日稍能讀書者，皆知其僞。雖然，其增多之二十五篇，僞也；其〈堯典〉以下至〈泰誓〉二十八篇，固不僞也。則試置其僞作之二十五篇，而專論其不僞之二十八篇；且置其爲假託之孔安國，而論其爲魏晉人之傳。則未嘗不與何晏、杜預、郭璞、范寧等先後同時；晏、預、璞、寧之傳注，可存而論，則此傳亦何不可存而論。」（《尚書孔傳補疏·自序》）此誠通人之論。足以發拘墟者之蒙也。

禹迹大抵在中原，而論者多當南渡，昔疎今密，其勢則然。然尺短寸長，互相補苴，固宜兼收並蓄，以證異同。

宋人言地理者，如毛晃撰《禹貢指南》、程大昌撰《禹貢論》、《後論》、《山川地理圖》、傅寅撰《禹貢說斷》，皆以生於南渡之後，僻處一隅，無由目覩中原西北之古蹟，一一統核其眞，故所言多病疏泛。至清初胡渭《禹貢錐指》

出，然後精密過於前人。自宋元以來，注〈禹貢〉者不下數十家，要以胡書爲最善。考證之業，後出者勝，信矣。四庫著錄，例采多家，良以得失互見，可以彼此補苴耳。

若夫劉向記〈酒誥〉、〈召詔〉，脫簡僅三，而諸儒動稱數十。

《四庫總目》卷十三〈書疑提要〉有云：「《漢書》載劉向以中古文校歐陽、大小夏侯三家經文，〈酒誥〉脫簡一，〈召誥〉脫簡二。率簡二十五字者，脫亦二十五字；簡二十二字者，脫亦二十二字。文字異者七百有餘，脫字數十云云，此言脫簡之始也。然向既知校脫簡，自必一一改正，必不聽其仍前錯亂。又惟言〈酒誥〉脫簡一，〈召誥〉脫簡二，則其餘併無脫簡可知，亦非篇篇悉有顚倒。且一簡或二十五字或二十二字，具有明文，則必無全脫一章一段之事。而此二十餘字之中，亦必無簡首恰得句首、簡尾恰得句尾，無一句割裂不完之事也。王柏作《書疑》，乃動以脫簡爲辭，臆爲移補。其爲師心杜撰，竄亂聖經，已不辨而可知矣。」此論明晰，足以申釋〈敘文〉。王柏乃南宋末年人，以度宗咸淳十年卒，未嘗入元。顧炎武《日知錄》稱爲元儒王柏，非也。

班固索〈洪範〉於《洛書》，諸儒併及《河圖》，支離轇轕，淆經義矣。

孫星衍《河圖洛書考》有云：「漢人以八卦爲《河圖》，九疇爲《洛書》，其說見孔安國注《論語》『河不出圖』，及馬融注《書》「九疇」。又漢〈五行志〉引劉歆說亦同，以「初一日五行」以下六十五字爲《洛書》全文。至宋人乃妄以〈洪範〉五行爲河圖。」（《問字堂集》卷二。）考《漢書·五行志》已云：「禹治洪水，賜〈洛書〉，法而陳之，〈洪範〉是也。」是班固索〈洪範〉於《洛書》之說也。宋人又以〈洪範〉五行爲〈河圖〉，穿鑿附會，益亂經義矣。

故王柏《書疑》、蔡沈皇極數之類，非解經之正軌者，咸無取焉。

宋人王柏作《書疑》，併全經而移易補綴；蔡沈作《書集傳》，乃以皇極數說〈洪範〉，皆非解經之體，故《提要敘》深斥之。

詩類敘

《詩》有四家，毛氏獨傳。唐以前無異論，宋以後則眾說爭矣。

《論語》記孔子言，已數稱「詩三百」，可知孔子時舊有之《詩》，止於三百，今所存三百五篇者是也。則孔子刪《詩》之說爲可疑矣。遭秦焚書而得全者，以其爲人人所諷誦，不專在竹帛故也。漢興，傳之者四家。《隋書・經籍志》云：「漢初有魯人申公，受《詩》於浮丘伯。作《詁訓》，是爲魯詩；齊人轅固生亦傳《詩》，是爲齊詩；燕人韓嬰亦傳《詩》，是爲韓詩。終於後漢，三家並立。漢初，又有趙人毛萇善《詩》，自云子夏所傳，作《詁訓傳》，是爲毛詩古學，而未得立。」《隋志》云「而未得立」者，謂毛詩晚出，未得與三家詩同時立於學官也。魯、齊、韓三家詩，皆今文學，漢初皆已立於學官；毛詩爲古文學，至平帝時，始立於學官；惟先出者不如後出者流傳之盛耳。《隋志》又云：「鄭眾、賈逵、馬融並作《毛詩傳》，鄭玄作《毛詩箋》。齊詩魏代已亡；魯詩亡於西晉；韓詩雖存，無傳之者。唯毛詩鄭箋，至今獨立。」《隋志》敘述四家詩存佚，至爲簡要，然考始爲毛詩作《傳》者，爲河間人毛亨；立於學官者，爲趙人毛萇。時人因稱亨爲大毛公，萇爲小毛公。後歷鄭眾、賈逵、馬融、鄭玄諸儒傳其學，並爲之作《注》作《箋》，而後其學大顯。唐初修《五經正義》，《詩》用毛《傳》鄭《箋》，定於一尊，未嘗有異議也。毛詩三百篇之首有〈大序〉，各篇又有〈小序〉。鄭玄以爲〈大序〉子夏作，〈小序〉子夏、毛公合作。唐以前人，亦尊信之。至宋歐陽修作《詩本義》，蘇轍作《詩傳》，始有疑辭。南渡而後，鄭樵作《詩辨妄》，乃大肆攻擊。朱熹作《詩集傳》。亦宗鄭樵之說，而《集傳》與毛、鄭之爭乃起。清儒初宗毛、鄭而攻《集傳》，後漸搜采於三家，始知毛、鄭而外，說《詩》仍有古義可徵，又變而爲三家與毛之爭矣。

然攻漢學者，意不盡在於經義，務勝漢儒而已。伸漢學者，意亦不盡在於經義，憤宋儒之詆漢儒而已。各挾一不相下之心，而又濟以不平之氣，激而過當，亦其勢然歟！

《四庫總目》卷十六〈詩經大全提要〉云：「自北宋以前，說《詩》者無異學。歐陽修、蘇轍以後，別解漸生；鄭樵、周孚以後，爭端大起。紹興、紹熙之間，左右佩劍，相笑不休。迄宋末年，乃古義黜而新學立。」《總目》卷十七〈詩經注疏大全合纂提要〉有云：「自宋儒說《詩》廢〈序〉，毛、鄭之學遂微。

明永樂中修《五經大全》，《詩》則取鄱陽朱克升《疏義》，增損劉瑾之書，縣爲令甲，經學於是益荒。」觀斯二論，可知宋以下治《詩》者末流之弊已。清初諸儒，又力返之於古。如錢澄之撰《田間詩學》，援引甚博，專尚考證；朱鶴齡撰《詩經通義》，專主〈小序〉，力駁廢〈序〉之非；陳啓源撰《毛詩稽古編》，尊崇古義，表彰唐以前專門之學。降及乾嘉，治毛、鄭之學者益夥，宋人說《詩》之書，又束之高閣矣。

夫解《春秋》者，惟《公羊》多駁。其中高子、沈子之說，殆轉相附益。要其大義數十，傳自聖門者，不能廢也。〈詩序〉稱子夏，而所引高子、孟仲子，乃戰國時人，固後來攙續之明證。即成伯璵等所指篇首一句，經師口授，亦未必不失其眞。然去古未遠，必有所受。意其眞贗相半，亦近似《公羊》。全信全疑，均爲偏見。

古人之書，多後人附益之筆。如《春秋公羊傳》文公四年《傳》引「高子曰」，隱公十一年引「子沈子曰」，復見引於莊公十年、定公元年《傳》，皆後人注記之辭竄入正文者。〈詩序〉中所引高子、孟仲子。亦同斯例矣。

《四庫總目》卷十五《詩序．提要》有云：「〈詩序〉之說，紛如聚訟。以爲〈大序〉子夏作，〈小序〉子夏、毛公合作者，鄭玄《詩譜》也，以爲子夏所序詩，即今〈毛詩序〉者，王肅《家語注》也；以爲衛宏受學謝曼卿作〈詩序〉者，《後漢書．儒林傳》也；以爲子夏所創，毛公及衛宏又加潤益者，《隋書．經籍志》也；以爲子夏不序《詩》者，韓愈也；以爲子夏惟裁初句、以下出於毛公者，成伯璵也；以爲詩人所自製者，王安石也；以〈小序〉爲國史之舊文，以〈大序〉爲孔子作者，明道程子也；以首句即爲孔子所題者，王得臣也；以爲《毛傳》初行，尚未有〈序〉，其後門人互相傳授，各記其師說者，曹粹中也；以爲村野妄人所作，昌言排擊而不顧者，則倡之者鄭樵、王質，和之者朱子也。今參定諸說，定〈序〉首二語爲毛萇以前經師所傳，以下續申之辭，爲毛萇以下弟子所附。」可知自來考定〈詩序〉作者，眾說紛紜，爭論不休。其實古人之書，皆由手寫；每喜各記所聞，附於其尾。書之不出於一手，不成於一時，乃常有之事。又古書多不標作者主名，後世不能的指其出於誰手，不足怪也。

今參稽眾說，務協其平。苟不至程大昌之妄改舊文，王柏之橫刪聖籍者，論有可採，並錄存之，以消融數百年之門戶。

宋人程大昌作《詩論》，顚倒任意，務便己私。惟在求勝於漢儒，原不計經義之合否。王柏作《詩疑》，承朱子去〈序〉言《詩》之說，指鄭衛之風，皆爲淫奔之作。悍然刪去其三十二篇，且於〈二南〉亦有所刪汰。昔人皆病其狂妄，故《四庫提要敘》亦深貶之。

至於鳥獸草木之名，訓詁聲音之學，皆事須考證，非可空談。今所採輯，則尊漢學者居多焉。

《詩》之名物訓詁，於群經爲最繁；毛《傳》鄭《箋》，獨於此言之最精。雖在朱熹，一生於漢儒傳注，至爲欽服。其言論見之《文集》及《語類》者甚多。故其說《詩》，於名物訓詁，仍廣采漢人之解以入《集傳》。《四庫總目》卷十五〈毛詩正義提要〉有云：「朱子從鄭樵之說，不過攻〈小序〉耳。至於《詩》中訓詁，用毛、鄭者居多。後儒不考古書，不知小序自小序，傳箋自傳箋，鬨然佐鬥，遂併毛、鄭而棄之。」可知漢儒徵實之學，歷久而不能廢，故《四庫總目》著錄之書，以此爲多。

余早歲治《詩》，主於融合漢宋，各取所長。以爲漢唐長於訓詁名物，宋人善於體會辭意，貫通疏說，可以弗畔。往嘗以《毛詩》教於上庠，述爲《講疏》，未及其半而罷。今特錄其敘文於次，資參考焉：

《詩》於群經中最爲難治。三家義廢，而毛《傳》簡略，無由盡通詩人吟詠之旨，一也；鄭君箋《詩》，復多不同於《傳》，孔疏兩存其說，孰從定其是非？二也；自宋以後，新說日滋，非第土苴毛、鄭，且并經文而進退之。爭辯既囂，論說益濫，三也；名物視他經尤繁，不考求其眞，則無以明比興之旨，四也；蓋《詩》無達詁，各以所見爲解，悉宛轉而可通。然揆諸先民制作之意，固有合有不合。雖說之者無慮數十百家，君子於此，必有辨矣。自三家既亡，無有更古於《毛詩》者，後人不能廢序、《傳》以說《詩》，理勢然也。觀馬貴與申〈序〉之言，與夫聽訟之喻，駁議明快。足以矯宋人抨擊序、傳之失，無所庸其復辨。（馬說詳《文獻通考》卷一百七十九。）然余觀朱子說《詩》，名雖廢〈序〉，而陰本〈序〉說者實多。以意逆志，曲得詩恉。以視鄭君牽於禮制、致紆曲而難通者，則有間矣。外此若呂氏《讀詩記》、嚴氏《詩緝》，悉能原本舊義，兼錄時人說《詩》之言，無適無莫，實事求是。嚴書尤後出，集諸家之成。實能鎔鑄漢唐舊義，爲一家言。自來說《詩》之書，未有善於此者。自清儒治經，大張漢幟，率屏棄宋人經說不觀，迄於今三百年矣。平心論之，清儒惟考證名物之情狀，審別文字之異同，足以跨越前人。至於引申大義，闡明《詩》意，不逮宋賢遠甚。二三拘儒，遽欲以廣搜博引，上傲宋賢，斯亦過矣。余早歲治《詩》，於陳氏《毛詩傳疏》，讀之三反；旁涉乾嘉諸儒考證之書，鍥而不舍。及反而求之注疏以逮宋賢遺說，始於篇中之微指，詞外之寄託，恍然有悟，信足以發墨守而開疑滯。下視有清諸儒之書，直糟粕耳。雖然，訓詁之不明，則大義亦無由自見。清儒發疑正讀之功，亦豈可泯！顧以此爲治經之始功則可，若謂治經之事遽止於此，則隘甚矣。輓近說經之弊有二：上焉者，蹈襲乾嘉以下經生餘習，以解字辨物爲工；下焉者，則蔑棄傳注，以游談臆斷相尚。舍大道以適荊棘，通經之效乃晦。今說《詩》而欲博關群言，折中至是，故凡毛、鄭義有漏略，輒采後起之說補苴之。取其長而不溺其偏，務在暢通大義，期於明習經文而止。亦間著己意，附於其末。釐爲請恉、詩詁二目，錄成《講疏》，以與及門諸子詳焉。守此弗畔，其於《三百篇》之大義，庶有得乎！若猶存漢宋門戶之見，目爲雜糅不倫，則非所以講明此經也。

禮敘類

古稱議禮如聚訟。然《儀禮》難讀，儒者罕通，不能聚訟；《禮記》輯自漢儒，某增某減，具有主名，亦無庸聚訟；所辯論求勝者，《周禮》一書而已。

禮爲之言理也，治身、治事、治國之道，有制而不可越者，皆得謂之禮。舉凡治身之儀文，治事之綱紀，治國之制度，古人皆以禮統之。所起雖早，然《漢書·藝文志》已云：「及周之衰，諸侯將踰法度，惡其害己，皆去其籍，自孔子時而不具，至秦大壞。」然則古禮之破敗，亦已早矣。漢興，有魯高堂生傳

《士禮》十七篇，論者謂即今之《儀禮》。此十七篇所言，爲十七件儀文禮節。惟冠、昏、喪、相見爲士禮，餘皆天子、諸侯、卿大夫之制。文辭簡奧，不易理解。自韓愈已苦難讀，故誦習之者甚少，注說者尤稀。舊注之存於今者，以鄭玄注爲最古矣。古人解禮之文，概稱爲「記」。《漢志》著錄《記》百三十一篇，皆七十子後學者解禮之文也。漢人戴德，傳《記》八十五篇，今存三十九篇，即《大戴禮記》也。其兄子戴聖傳《記》四十九篇，即今通行本之《禮記》也。《儀禮》有〈士冠禮〉，《禮記》則有〈冠義〉；《儀禮》有〈士昏禮〉，《禮記》則有〈昏義〉；《儀禮》有〈鄉飲酒禮〉，《禮記》則有〈鄉飲酒義〉；《儀禮》有〈鄉射禮〉，《禮記》則有〈射義〉；《儀禮》有〈燕禮〉，《禮記》則有〈燕義〉；《儀禮》有〈聘禮〉，《禮記》則有〈聘義〉；《儀禮》有〈喪服〉，《禮記》則有〈喪服小記〉。《禮記》乃解禮之文，此其明徵矣。至其他篇所言，不外持躬化俗之道，別嫌防微之方，雖不盡與《儀禮》相比附，要亦治身治國之理也。自漢儒盧植、鄭玄並注《小戴禮記》，其學始顯。至唐初撰定《五經正義》，禮則主《禮記鄭注》，於是《大戴禮記》

益晦，而篇章脫佚亦甚。

《周禮》本名《周官》，亦稱《周官經》。《漢志》著錄《周官經》六篇，即今之《周禮》。分天、地、春、夏、秋、冬六官爲六篇。漢武帝時，有李氏者得之，上於河間獻王劉德，闕〈冬官〉一篇。獻王購以千金，不得，取〈考工記〉補之。其書後復入於秘府，世莫得見。至成帝時，劉歆校理秘書，始得著於《錄》《略》，於王莽時奏立博士，遂傳于世。西漢之末，杜子春習《周禮》，能略識其古字；後漢鄭興、鄭眾皆以《周禮》解詁著；鄭玄集諸家之說，參以己意，爲《周禮注》，其學乃大行于後世。鄭玄既爲《周禮》、《儀禮》、《禮記》作注，又別造《三禮目錄》，於是「三禮」之名始定。三禮中，惟《周禮》一書，爭辯最多。古文學家以爲周公作，今文學家以爲非周公作，甚者至以爲王莽令劉歆作。立破二家，各於其黨，於是論說紛紛矣。

考〈大司樂章〉，先見於魏文侯時，理不容僞。河間獻王但言闕〈冬官〉一篇，不言簡編失次，則竄亂移補者亦妄。三禮并立，一從古本，無可疑也。

《漢書・藝文志》云：「六國之君，魏文侯最爲好古。孝文時，得其樂人竇公，獻其書，乃《周官・大宗伯》之〈大司樂章〉也。」是《周禮》一書，六國時已有之。其書出於西漢初，但闕〈冬官〉一篇。至宋俞庭椿撰《周禮復古編》，始謂〈冬官〉不亡，特錯簡在五官中，因割裂顚倒，以足其數，遂開說《周禮》者補亡一派。於是宋王與之撰《周禮訂義》，元邱葵撰《周禮補亡》，晏璧僞託吳澄撰《三禮考注》，明何喬新撰《周禮集注》，陳深撰《周禮訓雋》，皆承其說。又明王志長撰《周禮注疏刪翼》，以〈敘官〉爲無用而刪之，經遂有目無綱。《周禮》之刪減，自志長始也。舒芬撰《周禮定本》，雖大旨祖俞庭椿〈冬官〉不亡雜在五官之說，而復以己意進退之。刪削舊文，十幾二三。沈瑤撰《周禮發明》，所錄經文，亦多刪節。蓋自宋以來理董《周禮》者，始言恢復古本，繼乃刪汰原文，末流之弊，至於如此，故《四庫提要敘》斥之爲妄也。

昔之論及《周禮》者，多以周代設官分職，具在於是。然而在戰國時，北宮錡嘗問於孟軻曰：「周室班爵祿也，如之何？」孟子曰：「其詳不可得聞也。諸侯惡其害己也，而皆去其籍。」見《孟子·萬章下》。則成周遺制，戰國時已難盡明，何獨於漢世出此完整之書？無怪啓後人之疑也。竊嘗以爲古之以「周」名書者，本有二義：一指周代，一謂周備。《漢志》著錄之書，多有以「周」名者：儒家有《周政》六篇，《周法》九篇；道家有《周訓》十四篇；小說家有《周考》七十六卷，臣壽《周紀》七篇，虞初《周說》九百四十三篇。細詳諸書立名，蓋取周備之義，猶易象之名《周易》也。《周易正義》引鄭氏云：「《周易》者，言易道周普，無所不備。」是已。儒家之《周政》、《周法》，蓋所載乃布政立法之總論；道家之《周訓》，小說家之《周考》、《周紀》、《周說》，猶後世之叢考、雜鈔、說林之類耳。故劉、班悉載之每類之末，猶可窺尋其義例。自後世誤以爲言周時事，說者遂多隔閡不可通。專言設官分職之書，而名之爲《周禮》，亦取周備之義。蓋六國時人雜采當時各國政制編纂而成，猶後世之《官制彙編》耳。由於集列邦之制爲一書，故彼此矛盾重複之處甚多，與故書不合者猶廣。是以建都之制，不與〈召誥〉、〈洛誥〉合；封國之制，不與〈武成〉、《孟子》合；設官之制，不與〈周官〉合；九畿之制，不與〈禹貢〉合；

不足怪也。學者如能審斷《周禮》標題，實取周備無所不包之義，目爲六國時人輯錄之《官制彙編》；既非周公所作，亦非劉歆一人所能造，則群喙自息，眾論可平矣。

鄭康成注，賈公彥、孔穎達疏，於名物度數特詳。宋儒攻擊，僅摭其好引讖緯一失；至其訓詁，則弗能踰越。蓋得其節文，乃可推制作之精意。不比《孝經》、《論語》，可推尋文句而談。本漢唐之注疏，而佐以宋儒之義理，亦無可疑也。

鄭氏偏注三禮，爲世所宗。唐初孔穎達據其注以撰定《禮記正義》，賈公彥據其注以造《周禮疏》、《儀禮疏》，自來爲治三禮者所尊尚。宋人於名物度數，不能與之立異。惟力詆鄭氏好以緯候說經。北宋如歐陽修《文集》中，有〈請校正五經箚子〉，欲刪削其書；南宋如王應麟《困學紀聞》亦言鄭康成釋經，以緯書亂之，而聖人微旨漸廢。其實緯候之學，所起甚早，西漢之說經者，如伏生《尚書大傳》、董仲舒《春秋繁露》，皆申演緯學者也。其後光武好其術，故東漢大行。鄭氏生於其時，又兼治緯，蓋亦風尚使然。群經注中所引《易說》、

《書說》、《孝經說》、《春秋說》皆是也。要之，《三禮》自是鄭學。其於勘正文字異同，疏說名物情狀，厥功不細，非可妄議，未宜以其小疵而掩其大醇也。漢儒說禮，考禮之制；宋儒說禮，明禮之義；各有攸長，自可兼采。宋儒事事排擊漢儒，獨於《三禮》注疏，不敢輕詆，知禮不可以空言說也。謹以類區分，定爲六目：曰周禮，曰儀禮，曰禮記，曰三禮總義，曰通禮，曰雜禮書。六目之中，各以時代爲先後，庶源流同異，可比而考焉。朱彝尊《經義考》，分禮類爲周禮、儀禮、禮記、通禮四目。《四庫總目》又增立三禮總義及雜禮書，故通爲六目。

春秋類敘

說經家之有門户，自春秋三傳始，然迄能并立於世。《三傳》，謂《左氏傳》、《公羊傳》、《穀梁傳》也。漢初，立《公羊》博士；宣帝時，又立《穀梁》；平帝時，始立《左氏》。《左氏傳》立於學官雖晚，然漢初北平侯張蒼及梁太傅賈誼，皆修《春秋左氏傳》，誼爲《左氏傳訓故》，授趙人貫公，爲河間獻王博士，則左氏之傳舊矣。

其間諸儒之論：中唐以前則左氏勝；啖助、趙匡以逮北宋，則《公羊》、《穀梁》勝。

自唐初修《五經正義》，取《左傳》以配《易》、《書》、《詩》、《禮記》以成五經，其傳布益廣，而《公羊》、《穀梁》之學漸微。至啖助、趙匡說《春秋》，始稍立異。以爲《左傳》敘事雖多，釋經殊少，猶不如《公》、《穀》之於經爲密。北宋劉敞撰《春秋傳》十五卷，事蹟皆節錄《三傳》，斷以己意，褒貶義例，則多取《公羊》、《穀梁》，皆不無偏袒。

孫復、劉敞之流，名爲棄《傳》從《經》。所棄者，特《左氏》事蹟，《公羊》、《穀梁》月日例耳。其推闡譏貶，少可多否，實陰本《公羊》、《穀梁》法。猶誅鄧析，用竹刑也。

孫復，亦北宋時人，著有《春秋尊王發微》十二卷。《四庫總目》卷二十六〈春秋尊王發微提要〉云：「復之論上祖陸淳，而下開胡安國，謂《春秋》有貶無褒，大抵以深刻爲主。晁公武《讀書志》載常秩之言曰：「復爲《春秋》，猶商鞅之法，棄灰於道者有刑，步過六尺者有誅。」蓋篤論也！而宋代諸儒，喜爲苛議，顧相與推之，沿波不返，遂使孔庭筆削，變爲羅織之經。夫知《春秋》者，莫如孟子，不過曰《春秋》成而亂臣賊子懼耳。使二百四十二年中，無人非亂臣賊子，則復之說當矣；如不盡亂臣賊子，則聖人亦必有所節取，亦何至由天王以及諸侯大夫，無一人一事不加誅絕者乎？過於深求，而反失《春秋》之本旨者，實自復始。」此論透闢，足以補中敘文。

自來治《公羊》、《穀梁》者，致詳於日、月、時例。蓋《春秋》記事，有載明其日者，有載明其月者，有但記其時者。大抵事關重大者，則明載其日；小事從略，則但記時。亦有小事而重之者，則變時而日月焉；大事而輕之者，則變日而月時焉。事以大小爲準，例以時日爲正，而月在時日之中，爲消息焉。《公》、《穀》二《傳》，尤究心於此。以爲經書月日，詳略不同，均關筆削。禮文隆殺，援是以區；君臣善惡，憑斯而判。其後孫復撰《春秋尊王發微》，劉敞撰《春秋權衡》，皆陰祖《公》、《穀》而加以深刻，謂《春秋》有貶無褒，遂使二百四十二年中無一善類，常秩比於商鞅之法，非過詆也。鄧析，春秋鄭大夫，治名家言。嘗改鄭所鑄刑書，別造竹刑。駟顓殺之，而用其竹刑焉。敘文「猶誅鄧析，用竹刑也」二語，即「以其人之道治其人之身」之意。

夫刪除事蹟，何由知其是非？無案而斷，是《春秋》爲射覆矣。

《四庫總目》卷三十一〈春秋原經提要〉有云：「《經》文簡質，非《傳》難明。即如「鄭伯克段于鄢」一條，設無《傳》文，則段于鄭爲何人？鄢爲何地？則克之爲何？故經文既未明言，但據此六字之文，抱遺經而究終始，雖聖人復生，沈思畢世，無由知其爲鄭伯之弟，以武姜內應作亂也。是開卷數行，已窒礙不行，無論其餘矣。」此論有據，足以補證敘文。

聖人禁人爲非，亦予人爲善。經典所述，不乏褒辭。而操筆臨文，乃無人不加誅絕，《春秋》豈吉網羅鉗乎？至於用夏時，則改正朔；削尊號，則貶天王；《春秋》又何僭以亂也！

自孫復以逮胡安國，說《春秋》大抵以深刻爲主，有如治獄嚴酷，使其時無一善類可免於刑戮者。《唐書·吉溫傳》稱溫與羅希奭相勖以虐，號羅鉗吉網。

公卿見者，莫敢偶語。後世言《春秋》者，深文鍛鍊，實亦吉、羅之類也。胡安國《春秋傳》謂《春秋》以夏時冠周月，學者疑之。顧炎武謂「《尚書》之文但稱王，《春秋》則曰天王，以當時楚、吳、徐、越皆僭稱王，故加天以別之也。」（見《日知錄》）。沿波不返，此類宏多。雖舊說流傳，不能盡廢，要以切實有徵，平易近理者爲本。其瑕瑜互見者，則別白而存之；游談臆說，以私意亂聖經者，則僅存其目。

此言宋元以來之說《春秋》者，衆說紛紜，高下不一，自宜有所別擇去取于其間也。即以《三傳》言之，亦必知其孰短孰長。《四庫總目》春秋類末〈案語〉有云：「《春秋》《三傳》，互有短長。左氏說經，所謂「君子曰」者，往往不甚得經意。然其失也，不過膚淺而已。《公羊》、《穀梁》二家，鉤棘月日以爲例，辨別名字以爲褒貶，乃至穿鑿而難通。三家皆源出聖門，何其所見之異哉！左氏親見國史，古人之始末俱存，故據事而言，即其識有不逮者，亦不至大有所出入。《公羊》、《穀梁》，則前後經師，遞相附益。推尋於字句之間，故憑心而斷，各徇其意見之所偏也。然則徵實蹟者，其失小；騁虛論者，其失大矣。後來諸家之是非，均持此斷之，可也。」此段議論，提出所謂「徵實蹟者其失小，騁虛論者其失大」，此二語又足用以評定古今說《春秋》者之得失，不第《三傳》然矣。

蓋六經之中，惟《易》包眾理，事事可通；《春秋》具列事實，亦人人可解。一知半見，議論易生；著錄之繁，二經為最，故取之不敢不慎也。

此言六經之中，惟《易》與《春秋》解說之書為最繁雜。《四庫全書》著錄之際，不得不嚴也。今檢《四庫總目》，《易》類著錄之書一五八部，而存目之書三一七部；《春秋》類書一一四部，而存目之書一一八部；可以知其別擇審慎之意。自來說《易》與《春秋》者，愈多愈雜，愈使人不易理解。毛奇齡《西河集》謂「《大易》、《春秋》，迷山霧海。自兩漢迄今，歷二千餘年，皆臆猜卜度，如說夢話，何時得白？」其言至為沉痛！然清儒治經，於此二書，意亦不能越出迷山霧海之外，良可慨也。

孝經類敘

蔡邕《明堂論》引魏文侯《孝經傳》，《呂覽·審微篇》亦引《孝經·諸侯章》，則其來久矣。然授受無緒，故陳騤、汪應辰皆疑其僞。

自司馬遷、班固、何休、鄭玄，皆謂孔子作《孝經》，故唐以上無異辭。至宋而疑之者紛起。陳騤、汪應辰，皆南宋初年人。陳有《南宋館閣錄》、《文則》；汪有《文定集》，皆嘗疑及此書。朱熹謂「爲夫子、曾子問答之言，而曾氏門人之所記也」。見《孝經刊誤》。晁公武謂「首章云『仲尼居，曾子侍』，則非孔子所著明矣。詳其文義，當是曾子弟子所書也」。見《郡齋讀書志》。此二論自足服人。清儒汪中《經義知新記》謂「《呂氏春秋·孝行》、《察微》二篇，並引《孝經》，則《孝經》爲先秦之書明矣」，亦平正之言也。至於姚際恆《古今僞書考》乃謂「是書來歷出於漢儒，不惟非孔子作，併非周秦之言」，則未免持論過激，將成書時代推遲太晚矣。按《呂氏春秋》篇名本作〈察微〉，《四庫總目》敘文，乃作〈審微〉，偶誤。

今觀其文，去二戴所錄爲近，要爲七十子徒之遺書。使河間獻王採入一百三十一篇中，則亦《禮記》之一篇，與〈儒行〉、〈緇衣〉轉從其類。惟其各出別行，稱孔子所作；傳錄者又分章標目，自名一經。後儒遂以不類〈繫辭〉、《論語》繩之，亦有由矣。

《漢書·藝文志·六藝略》著錄「《記》百三十篇」。班氏自注云：「七十子後學者所記也。」《禮記正義》引鄭玄〈六藝論〉曰：「漢興，高堂生得《禮》十七篇。後得孔氏壁中、河間獻王《古文禮》五十六篇，《記》百三十一篇。」又曰：「傳《禮》者十三家，惟高堂生及五傳弟子戴德、戴聖名在也。戴德傳《記》八十五篇，戴聖傳《記》四十九篇。」清儒錢大昕《廿二史考異》曰：「合大小戴所傳而言，《小戴記》四十九篇，〈曲禮〉、〈檀弓〉、〈雜記〉皆以簡策重多，分爲上下，實止四十六篇。合《大戴》之八十五篇，正協百三十一之數。」按古之所謂《記》，乃七十子後學者所記解禮之文。作者既多不能得知其主名，篇章亦益見其叢雜。小戴所傳四十九篇，有鄭玄爲之注，與《周禮》、《儀禮》合稱三禮；唐初又取與《易》、《書》、《詩》、《春秋左傳》列爲五經，其書盛行於後世。《大戴禮記》傳習者少，遂致殘闕過半，今所存者止三十九篇耳。通觀《大小戴記》之文，以所記孔子言論爲最多，亦猶《孝經》之錄孔子言也。《四庫總目敘》謂其體與二戴所錄爲近，則亦《禮記》之一篇，是矣。徒以文辭短簡，旨意淺明，故古人使之單篇別行，以教讀書不多之人，如後漢令期門羽林之士通《孝經》章句是也。尊其書者，謂爲孔子所作，意固有在，殆未可以質言矣。

> 中間孔、鄭兩本，互相勝負。始以開元《御注》用今文，遵制者從鄭；後來朱子《刊誤》用古文，講學者又轉而從孔。要其文句小異，義理不殊，當以黃震之言爲定論。語見《黃氏日鈔》。

《孝經》亦有今文、古文之分。今文《孝經》出於顏氏，秦世焚書，河間人顏芝藏之。迄漢尊學，芝子貞始出是書。長孫氏、博士江翁、少府后蒼、諫大夫翼奉、安昌侯張禹傳之，各自名家，凡十八章。古文《孝經》出於孔氏壁中，安國得其書。昭帝時，魯國三老獻之。劉向稱其字皆古文。〈庶人章〉分爲二，〈曾子敢問章〉分爲三，又多一章，凡二十二章。建武時，衛宏曾校之，許愼嘗學《孝經》孔氏古文說，然皆口傳，至愼子沖，曾撰具一篇上之。俱見《漢書·藝文志》、《經典釋文敘錄》及許沖〈上說文解字表〉，源流異同，固可考也。世傳鄭玄嘗注《孝經》，用今文本。與孔氏之古文並行甚久，故論者遽以孔、鄭兩本概古今文。歷代帝王注《孝經》者，晉元帝有《孝經傳》，晉孝武帝有《孝經講義》，梁武帝有《孝經義疏》，今皆不存，惟唐玄宗《御注》，列《十三經注疏》中。

《黃氏日鈔》卷一〈讀孝經〉有云：「《孝經》一耳，古文、今文，特所傳微有不同。如首章今文云『子曰：先王有至德要道』，古文則云『子曰：參，先王有至德要道』；今文云『夫孝，德之本也，教之所由生也』，古文則云『夫孝，德之本，教之所由生』；文之或增或減，不過如此，於大義固無不同。至於分章之多寡，今文〈三才章〉『其政不嚴而治』，與『先王見教之可以化民』通為一章，古文則分為二章。今文〈聖治章第九〉『其所因者本也』，與『父子之道天性』通為一章，古文亦分為二章。『不愛其親而愛他人者』，古文又分為一章。章句之分合，率不過如此，於大義亦無不同。古文又云：『閨門之內，具禮矣乎，嚴父嚴兄，妻子臣妾，猶百姓徒役也。』此二十二字，今文全無之，而古文自爲一章。與前之分章者三，共增爲二十二。所異者又不過如此，非今文與古文各爲一書也。」黃氏此論平允，故《四庫總目敘》重之。

故今之所錄，惟取其詞達理明，有裨來學。不復以今文古文區分門戶，徒釀水火之爭。蓋注經者明道之事，非分朋角勝之事也。

此論甚通，具見有識！誠能推斯意以理群經，則意氣自消，惟求義理之安，不存門戶之異，庶可免無謂爭辯矣。不第《孝經》然也。

五經總義類敘

漢代經師，如韓嬰治《詩》兼治《易》者，其訓故皆各自爲書。

《漢書・儒林傳》曰：「韓嬰，燕人也。孝文時，爲博士，景帝時，至常山太傳。嬰推詩人之意，而作《內外傳》數萬言，其語頗與齊、魯閒殊，然歸一也。淮南賁生受之。燕趙閒言《詩》者由韓生。韓生亦以《易》授人，推《易》意而爲之傳，燕趙閒好《詩》，故其《易》微，唯韓氏自傳之。」此乃韓嬰治《詩》

兼治《易》之事實也。《漢書·藝文志·六藝略》詩類著錄《韓內傳》四卷，《韓外傳》六卷外，又有《韓故》三十六卷，《韓說》四十一卷，易類著錄《韓氏》二篇，班氏自注云「名嬰」。斯又其訓故皆各自爲書之證已。

《四庫總目》卷三十三〈經稗提要〉有云：「漢代傳經，專門授受，自師承以外，罕肯旁徵。故治此經者，不通諸別經。即一經之中，此師之訓故，亦不通諸別師之訓故。專而不雜，故得精通。」按漢承秦火之後，書缺簡脫，其後搜亡書，立博士，利祿之途既開，因以起家者不少。經籍初出，口耳相傳，苟不審其從來，則造僞取寵者滋眾。漢世經生之必尙專門，重師承，注者多門，必稱其氏以別眾家，皆出於不得已也。

宣帝時，始有石渠《五經雜義》十八篇，《漢志》無類可隸，遂雜置之《孝經》中。《隋志》錄許愼《五經異義》以下諸家，亦附於《論語》之末。《舊唐書·志》始別名「經解」，諸家著錄因之，然不見兼括諸經之義。朱彝尊作《經義考》，別目曰「群經」，蓋覺其未安，而採劉勰《正緯》之語以改之，然又不見爲訓詁之文：徐乾學刻《九經解》，顧湄兼採總集經解之義，名曰「總經解」，何焯復斥其不通。語見沈廷芳所刻何焯點校《經解目錄》中。蓋正名若是之難也。

鄭玄〈六藝論〉曰：「孔子以六藝題目不同，指意殊別，恐遭離散，後世莫知根源，故作《孝經》以總會之。」可知漢儒舊說，皆以《孝經》爲六藝之大本，五經之總會，《漢志》錄《五經雜議》其書本名雜議，《四庫總目敘》誤作雜義。入《孝經》，可謂物歸其類，非雜置也。趙岐〈孟子題辭〉曰：「《論語》者，五經之錧鎋，六藝之喉衿也。」蓋以《論語》一書，包羅弘富，不專一業，實已概括五經。《隋志》錄《五經異義》以下諸家附《論語》之末，要亦有其故矣。

劉勰《文心雕龍．正緯篇》曰：「春秋之末，群經方備。」「群經」二字，始見於此。劉昫《舊唐書．經籍志序》曰：「十日經解，以紀六經讖候。」則經解之名，所起亦早。故後世著錄之家，率多沿用耳。

考《隋志》於統說諸經者，雖不別爲部分。然《論語》類末稱《孔叢》、《家語》、《爾雅》諸書，併五經總義附於此篇，則固稱五經總義矣。今準以立名，庶猶近古。《論語》、《孝經》、《孟子》雖自爲書，實均五經之流別，亦足以統該之矣。其校正文字，及傳經諸圖，併約略附焉，從其類也。

徐時棟《煙嶼樓讀書志》卷十一曰：「古人總解群經之書，寥寥數部，不能創立專門，故或置《孝經》中，或附《論語》後。至乎後來著作既夥，自不能不別立一類。而此類中所載各書，往往論解多經，斷非五經二字可該。即由諸書命名觀之，如劉敞《七經小傳》，毛居正《六經正誤》，岳珂《刊正九經三傳沿革例》，錢時《融堂四書管見》，何異孫《十一經問對》之屬，各自明標數目，此豈能以五經二字統之者乎？若謂《孝經》、《論》、《孟》均五經之流別，則史家本之《尚書》、《春秋》，子家本之《論語》、《孟子》，集家本之《詩》、《書》二經，儒者著書，苟非二氏，何一書非五經之流別乎？況功令明以《論》、《孟》、《孝經》爲專經，三禮皆禮，三傳皆《春秋》，尚各謂之經，總稱十三經，又豈可以五經二字統該之乎？然則宜立何名？曰：語求其近古，義求其安妥，與其準唐人之《隋書經籍志》，不如采梁人之《文心雕龍》而以群經爲號也，乃《提要》謂其不見爲訓詁之文，此語頗可駭怪。夫《提要》經部中如日易類、書類、詩類，其所錄之書，何一部非訓詁之書；其所名之類，何一類見訓詁之文。而獨於群經必確鑿以訓詁之文爲正名乎？」徐氏所言，足以匡《四庫總目》立名之失。況以群經二字名其著述者，明人周洪謨有《群經辨疑錄》，清初江水有《群經補義》，又不第自朱彝尊《經義考》始標斯目也。

四書類敘

《論語》、《孟子》，舊各爲帙；《大學》、《中庸》，舊《禮記》之二篇。其編爲《四書》，自宋淳熙始；其懸爲令甲，則自元延祐復科舉始；古來無是名也。

《漢書藝文志·六藝略》禮類著錄《中庸說》二篇，《隋書經籍志》經部禮類著錄戴顒《中庸傳》二卷，梁武帝《中庸講疏》一卷，可知《中庸》單行，爲時甚早。惟《大學》一篇，自唐以前無別行之本。然陳振孫《直齋書錄解題》載司馬光有《大學廣義》一卷，《中庸廣義》一卷，已在二程以前，均不自洛閩諸儒始爲表章。特其論說之詳，自二程始。定著《四書》之名，自朱子始耳。蓋《禮記》一書，本非成於一人之手，其中精要，自可分篇析出，不獨《大學》、《中庸》爲然。自朱子作《大學章句》、《中庸章句》、《論語集注》、《孟子集注》，後人統稱之則曰《四書集注》。是抽出《禮記》之《大學》、《中庸》以與《論語》、《孟子》相配而爲四書，實自朱子始。朱子爲《大學章句序》，末題淳熙己酉二月；爲《中庸章句．序》末題淳熙己酉三月，則皆南宋孝宗淳熙十六年也。蓋編定四書，實成於此時。至元仁宗延祐中，始用以取士。於是闡明理道之書，漸成爲弋取功名之具。下逮明清，變本加厲。科舉之文，名爲發揮經義，實則發揮注旨。當時所謂八股文，亦即四書文之別名耳。非惟《論》、《孟》、《學》、《庸》之本旨亡，併朱子編定四書之意亦亡矣。

然二戴所錄〈曲禮〉、〈檀弓〉諸篇，非一人之書，迨立名曰《禮記》，《禮記》遂爲一家。即王逸所錄屈原、宋玉諸篇，《漢志》均謂之賦，迨立名曰《楚詞》，《楚詞》亦遂爲一家。元邱葵《周禮補亡．序》稱聖朝以六經取士，則當時固以四書爲一經。前創後因，久則爲律，是固難以一說拘矣。今從《明史·藝文志》例，別立四書一門，亦所謂禮以義起也。

此言裒輯群篇以爲書者，每立大名以統括之，約定俗成，其名遂行於世也。《論》、《孟》、《學》、《庸》之稱《四書》，猶戴德輯錄七十子後學者解禮之文八十五篇，戴聖輯錄四十九篇，皆名爲《禮記》；劉向輯錄屈原〈離騷〉以迄向所作〈九歎〉，而名爲《楚辭》，（此書原名本作「辭」，《四庫總目敘》作「詞」，非也。）其例一耳。自《四書》行世，元明學者續有發明，著述漸多，而明尤盛。今觀《明史·藝文志》經部四書類所著錄者，凡五十九部，七百十二卷，故必別闢一類以統之也。朱彝尊《經義考》，於《四書》之前，仍立《論語》、《孟子》二類；黃虞稷《千頃堂書目》，凡說《大學》、《中庸》者，皆附於禮類。蓋欲以不去餼羊，略存古義。然朱子書行五百載矣，趙岐、何晏以下，古籍存者寥寥；梁武帝《義疏》以下，且散佚並盡。元明以來之所解，則皆自四書分出者耳。《明史》併入《四書》，蓋循其實，今亦不復強析其名焉。

《四書》之名，雖行已久，然學者亦有專治其一書者。或解《論語》，或釋《孟子》；《大學》、《中庸》復分爲撰述，暢發其旨；自不必統歸《四書》門內。《經義考》於《四書》之前，仍立《論語》、《孟子》二類；《千頃堂書目》凡說《大學》、《中庸》者，皆附於禮類；皆按其書之內容而定歸屬，非但略存古義而已。後漢趙岐有《孟子章句》，宋人孫奭爲之疏；三國時何晏有《論語集解》，宋人邢昺爲之疏；今皆在《十三經注疏》中。

《隋書·經籍志》著錄梁人之爲《論語義疏》者，有褚仲都、皇侃、張沖等數家之書。又著錄梁武帝所採《孔子正言》二十卷，而不見有《論語義疏》之作。考《南史》卷七十一《儒林·孔子袪傳》，稱「梁武帝撰《五經講疏》及《孔子正言》，專使子袪檢閱群書以爲義證」，可知梁武帝所撰乃《五經講疏》。《四庫總目敘》所云「梁武帝《義疏》以下，且散佚並盡」，蓋下筆之頃，記憶偶誤也。

樂類敘

沈約稱《樂經》亡於秦。考諸古籍，惟《禮記經解》有樂教之文；伏生《尚書大傳》引辟雝舟張四語亦謂之樂，然他書均不云有《樂經》。

《隋志》：「《樂經》四卷。」蓋王莽時元始三年所立。賈公彥《考工記磬氏疏》所稱「《樂》曰」，當即莽書，非古《樂經》也。

沈約《宋書·樂志》曰：「及秦焚典籍，《樂經》用亡。漢興，樂家有制氏，但能記其鏗鏘鼓舞，而不能言其義。周存六代之樂，至秦唯餘〈韶〉、〈武〉而已。」沈約之意，以爲《樂》與《易》、《書》、《詩》、《禮》、《春秋》同有其書，至秦火而《樂經》始亡。不悟古人雖有「六經」之名，而體用各有不同。《易》明天道以及人事之變化，《書》紀政事，《詩》託之歌詠以言心志，《禮》紀儀文制度，《春秋》依歲時月日載國之大事，皆可用文字筆之簡策。惟樂發之自然，以音律爲節，不可具於書。故漢武帝立五經博士，劉向校秘閣圖書，並無《樂經》。使徒燬於秦火，則漢初搜求亡書，亦必如他經之復出，何爲無一簡一牘見於當時、傳之後世乎？故《漢書·藝文志》敘列六藝，但論樂之源流，而不云有《樂經》，要自有其故矣。《禮記·經解篇》錄孔子之言，但云「廣博易良，樂教也」。伏生《尚書大傳》雖引樂曰「舟張辟雍，鶬鶬相從，八風回回，鳳凰喈喈」，（據陳壽祺輯校本。）亦未標《樂經》之名。《漢書·王莽傳》稱元始四年「立《樂經》，益博士員，經各五人」，《樂經》之名，蓋始於此。王莽師心自用，逞臆復古，無知妄作，不可爲訓。

大抵樂之綱目具於《禮》，其歌詞具於《詩》，其鏗鏘鼓舞，則傳在伶官。漢初制氏所記，蓋其遺譜。非別有一經，爲聖人手定也。

此說明通，足成定論。《漢書·藝文志》曰：「漢興，制氏以雅樂聲律，世在樂官，頗能紀其鏗鏘鼓舞，而不能言其義。」《漢書·禮樂志》注引服虔曰：「制氏，魯人，善樂事也。」樂事，即指鏗鏘鼓舞而言。舉凡聲樂之節奏，歌詠之高下皆是也。悉賴傳授演習而後得之，非可以言語形容者也。故爲之者，但能各效其技而不能自言其義。《漢志》所云「世在樂官」，與《四庫總目敘》「傳在伶官」之語意相同，即荀子所謂「不知其義，謹守其數，父子世傳，以持王公」者也。其不能筆之於書以成一經，固宜。

顧炎武《日知錄》卷五曰：「歌者爲詩，擊者拊者吹者爲器，合而言之謂之樂。對《詩》而言，則所謂樂者八音。『興於《詩》，立於禮，成於樂』是也。分《詩》與樂言之也。專舉樂則《詩》在其中，『吾自衛反魯，然後樂正，〈雅〉、〈頌〉各得其所』是也。合《詩》與樂言之也。」又曰：「《詩》三百篇，皆可以被之音而爲樂。自漢以下，乃以其所賦五言之屬爲徒詩，而其協於音者則謂之樂府。宋以下，則其所謂樂府者，亦但擬其辭，而與徒詩無別。於是詩之與樂判然爲二，不特樂亡而詩亦亡。」顧氏此論，足以益人意智。可知古者樂與《詩》合，本非有經也。

特以宣豫導和，感神人而通天地，厥用至大，厥義至精，故尊其教，得配於經。而後代鐘律之書，亦遂得著錄於經部，不與藝術同科。

《漢書・藝文志》著錄《樂記》二十三篇「蓋皆七十子後學者說樂之文也。今《小戴禮記》有〈樂記〉一篇。孔穎達《正義》曰：「案鄭目錄，蓋十一篇合爲一篇。劉向校書，得《樂記》二十三篇，著於《別錄》。今〈樂記〉所斷取十一篇，餘十二篇，其名猶在。」故張守節《史記正義》以〈樂記〉爲公孫尼子次撰，殆亦本於《別錄》也。孔門言樂之書，僅賴此篇之存。觀其言曰：「治世之音安以樂，其政和；亂世之音怨以怒，其政乖；亡國之音哀以思，其民困；聲音之道與政通。」又曰：「志微噍殺之音作，而民思憂；嘽諧慢易、繁文簡節之音作，而民康樂；粗厲猛起，奮末廣賁之音作，而民剛毅；廉直勁正莊敬之音作，而民肅敬；寬裕肉好順成和動之音作，而民慈愛；流辟邪散狄成滌濫之音作，而民淫亂。」非深通於聲音之道，烏能言之剴切著明如是。熟繹此二段議論，可悟《四庫總目敍》所云「厥用至大，厥義至精」之旨。

顧自漢氏以來，兼陳雅俗，艷歌側調，並隸雲韶。於是諸史所登，雖細至箏琶，亦附於經末。循是以往，將小說稗官，未嘗不記言記事，亦附之《書》與《春秋》乎？悖理傷教，於斯爲甚。

自《漢書·藝文志·六藝略》樂類著錄《雅琴趙氏》七篇，《雅琴師氏》八篇，《雅琴龍氏》九十九篇，所記蓋皆三家鼓琴之藝。其後《隋書·經籍志》乃兼及《琴操》、《琴譜》、《琴經》、《琴說》之類，至爲繁夥。旁逮《鐘磬志》、《黃鐘律》之屬，亦著其目。此外名品甚多，不煩悉數。故《隋志》經部樂類著錄之書，凡四十二部，一百四十二卷。自是歷代史志，續有增益。《舊唐書·經籍志》樂類，著錄二十九部，凡一百九十五卷；《新唐書·藝文志》著錄三十八部，二百五十七卷；《宋史·藝文志》著錄一百十一部，一千七卷；《明史·藝文志》但錄一代之書，亦有五十四部，四百八十七卷。苟非兼陳雅俗，斷不至繁雜至此，故《四庫總目敘》痛斥之。而必謂爲悖理傷教，失之過激矣。今區別諸書，惟以辨律呂、明雅樂者，仍列於經。其謳歌末技，絃管繁聲，均退列雜藝、詞曲兩類中。用以見大樂元音，道侔天地，非鄭聲所得而奸也。

《四庫總目》區別諸書，取謳歌末技、絃管繁聲，列入雜藝、詞曲兩類，是已；而皆目爲鄭聲，則非也。大抵事物之興，古簡而今繁；古代樸素而後世華靡；萬類皆然，無足怪者。太古之樂，惟土鼓、蕢桴、葦籥而已。後乃益之以鐘磬絃管，亦有來自域外以補國樂之所不足者，於是音樂始臻極盛。如但一意尊古卑今，舉凡今之所有而古之所無者，悉目爲不正之聲，概加屏棄，則違於事物進化之理遠矣。此學者辨藝論古，所以貴能觀其通也。

小學類敘

古小學所教，不過六書之類，故《漢志》以〈弟子職〉附《孝經》，而《史籀》等十家四十五篇列爲小學。《隋志》增以金石刻文，《唐志》增以書法書品，已非初旨。自朱子作《小學》以配《大學》，趙希弁《讀書附志》遂以〈弟子職〉之類併入小學；又以《蒙求》之類相參並列，而小學益多歧矣。考訂源流，惟《漢志》根據經義，要爲近古。

《漢書・藝文志》曰：「古者八歲入小學，故《周官》保氏掌養國子，教之六書。謂象形、象事、象意、象聲、轉注、假借，造字之本也。」而鄭眾《周官・保氏注》謂六書爲「象形、會意、轉注、處事、假借、諧聲」，許慎《說文解字・敘》則目爲「指事、象形、形聲、會意、轉注、假借」。此三家之說，名稱次第，皆各不同。揚搉而言，則名稱以許慎所舉爲長，次第以班固所列爲優，自來言及六書者，咸定爲象形、指事、會意、形聲、轉注、假借焉。此乃文字大興之後，學者歸納其義例而定此名目，非古人先定六書而後造字也。〈弟子職〉本《管子》中之一篇，所言皆弟子事師之禮，自是幼童入學之始，所宜誦習者。《漢志》入之《孝經》一類，明此爲人所共讀之書耳。《漢志》小學類所錄十家四十五篇，今惟《急就篇》及《別字》十三篇（即揚雄《方言》十三卷，錢大所說）尚存，餘皆亡佚矣。《隋志》小學類自字書、韻書外，益以〈秦皇東巡會稽刻石文〉以及《一字石經》、《三字石經》之屬，而不見有關銅器刻辭之書，《四庫總目敘》謂「《隋志》增以金石刻文」，蓋行文之頃，連類及之耳。《舊唐書·經籍志》加入《書品》、《書後品》；《新唐書·藝文志》又有《筆墨法》、《筆記法》之屬，門類滋廣於昔，非復《漢志》小學之舊矣。自朱子編定《小學》一書以爲學童修身養性之用，其後趙希弁重編晁公武《郡齋讀書志》，而以己所撰〈附志〉補之，乃援朱子之例，以〈弟子職〉併入小學類，復取歌括體之《蒙求》，參列其間。於是小學一類所收之書，乃益龐雜。

今以論幼儀者別入儒家，以論筆法者別入雜藝，以《蒙求》之屬隸古事，以便記誦者別入類書。惟以《爾雅》以下編爲訓詁；《說文》以下編爲字書，《廣韻》以下編爲韻書。庶體例謹嚴，不失古義。其有兼舉兩家者，則各以重爲主；悉條其得失，具於本篇。

小學一目，歷代沿用，而內容各有不同。蓋有漢世之所謂小學，有宋人之所謂小學，有清儒之所謂小學。自不可強而一之，學者不容不辨。劉《略》班《志》以《史籀》、《倉頡》、《凡將》、《急就》諸篇列爲小學，不與《爾雅》、《小雅》、《古今字》相雜。尋其遺文，則皆繫聯一切常用之字，以四言、七言編爲韻語，便於幼童記誦，猶今日通行之《千字文》、《百家姓》之類，此漢世之所謂小學也。迨朱子輯古人嘉言懿行，啓誘童蒙，名曰《小學》，其後馬端臨《經籍考》列之經部小學類，此宋人之所謂小學也。《四庫總目》以《爾雅》之屬歸諸訓詁；《說文》之屬歸諸文字；《廣韻》之屬歸諸韻書；而總題曰小學。此清儒之所謂小學也。然考之晁公武《郡齋讀書志》，已謂文字之學有三：《說文》爲體製之書，《爾雅》、《方言》爲訓詁之書，沈約《四聲譜》及西域反切之學爲音韻之書。然則以彼三者當小學之目，實亦源於宋人，又不自清儒始矣。

史部總敘

史之爲道，撰述欲其簡，考證則欲其詳。莫簡於《春秋》，莫詳於《左傳》，魯史所錄，具載一事之始末，聖人觀其始末，得其是非，而後能定以一字之褒貶，此作史之資考證也。丘明錄以爲《傳》，後人觀其始末，得其是非，而後能知一字之所以褒貶，此讀史之資考證也。苟無事蹟，雖聖人不能作《春秋》；苟不知其事蹟，雖以聖人讀《春秋》，不知所以褒貶。儒者好爲大言，動曰舍《傳》以求《經》，此其說必不通；其或通者，則必私求諸《傳》，詐稱舍《傳》云爾。

此言史傳主於記事，苟無事實記載，則是非善惡，不可以空言定也。因又發明《經》、《傳》相爲表裏之意，深斥空言說經之非。《太平御覽》六百十引桓譚《新論》曰：「左氏《傳》之與《經》，猶衣之表裏，相待而成。有《經》而無《傳》，使聖人閉門思之，十年不能知也。」是漢代儒者，固昌言不可舍《傳》以求《經》矣。《四庫總目敘》所指責者，乃唐宋以來經生耳。

司馬光《通鑑》，世稱絕作。不知其先爲《長編》，後爲《考異》。高似孫《緯略》，載其〈與宋敏求書〉，稱到洛八年，始了晉、宋、齊、梁、陳、隋六代。唐文字尤多。依年月編次爲草卷，以四丈爲一卷，計不減六七百卷。

司馬光編述《資治通鑑》，以英宗治平二年受詔，至神宗元豐七年十二月書成奏上，凡越十九年而後畢。當時襄助其事者，以劉恕（字道原）、劉攽（字貢父）、范祖禹（字淳甫）三人之力爲多。《史記》、《前、後漢書》屬劉攽，三國、南北朝屬劉恕，唐、五代屬范祖禹，而光實總其成。刪削鎔鑄，皆出光手。其後李燾〈進續資治通鑑長編表〉有曰：「臣竊聞司馬光之作《資治通鑑》也，先使其寮採摭異聞，以年月日爲《叢目》，《叢目》既成，乃修《長編》。唐三百年，范祖禹實掌之。光謂祖禹，《長編》寧失於繁，無失於略。今《唐紀》取祖禹之六百卷刪爲八十卷是也。」（見《文獻通考·經籍考》卷十八引）可知《通鑑》之修，原有《叢目》、《長編》二程序，譬之工廠造器，《叢目》乃原料，《長編》乃粗製品，此二者皆助修者之事；若光之筆削成文，整齊而編述之，則精製品也。光自謂「臣之精力，盡於此書」，（〈進資治通鑑表〉）則當日剪裁鎔鑄之煩勞，可以想見。即如五胡十六國，事蹟最爲紛亂錯雜，而《通鑑》所述，條理秩然。故到洛八年，始了晉、宋、齊、梁、陳、隋六代，可以見其功力之深。朱熹嘗言：「《南北史》除了《通鑑》所取者，其餘只是一部好笑底小說。」（《朱子語類》卷一百三十四）其書所以冠絕古今，夫豈偶然。

或疑「依年月編次爲草卷，以四丈爲一卷」，乃不符情實之辭。「四丈」當爲「四寸」之譌。不悟高氏《緯略》原文明云：「依年月編次爲草卷，每四丈截爲一卷。」多一「截」字，乃指卷子本而言，非如後世之裝訂本也。卷子本用絹帛或紙相聯續而成，故可以用四丈計耳。

又稱光作《通鑑》，一事用三四出處纂成。用雜史諸書，凡二百二十二家。李燾《巽巖集》亦稱張新甫見洛陽有《資治通鑑》草藁盈兩屋。

案肅集今已佚，此據馬端臨《文獻通考》述其父廷鸞之言。

司馬光於〈進通鑑表〉亦嘗自言：「臣既無他事，得以研精極慮，窮竭所有。日力不足，繼之以夜。徧閱舊史，旁採小說。簡牘盈積，浩如淵海。抉擿幽隱，校計毫釐。」可知其當日涉覽之博，用力之勤，非精力過人者，莫克臻此。末二語尤徵其去取之際，不肯稍有假借，彌見愼重之意。昔人所見草藁盈兩屋，自統括《叢目》、《長編》而言。古者亦渾稱室爲屋，兩屋猶云兩室也。

今觀其書，如淖方成「禍水」之語，則採及《飛燕外傳》；張彖「冰山」之語，則採及《開元天寶遺事》；並小說亦不遺之。然則古來著錄，於正史之外，兼收博採，列目分編，其必有故矣。

《通鑑》卷三十一、《漢紀》三十二，成帝鴻嘉三年云：「上微行過陽阿主家，悅歌舞者趙飛燕，召入宮，大幸；有女弟，復召入，姿性尤醲粹，左右見之，皆嘖嘖嗟賞。有宣帝時披香博士淖方成在帝後，唾曰：『此禍水也，滅火必矣。』」又《通鑑》卷二百十六、《唐紀》三十二玄宗天寶十一載云：「以楊國忠爲右相，兼文部尚書。臺省官有才行時名不爲己用者，皆出之。或勸陝郡進士張彖謂國忠曰：『見之，富貴可立圖。』彖曰：『君輩倚楊右相如泰山，吾以爲冰山耳。若皎日既出，君輩得無失所恃乎！』遂隱居嵩山。」《趙飛燕外傳》一卷，舊題漢伶玄撰；《開元天寶遺事》四卷，舊題五代王仁裕撰。論者多疑爲僞託。然二書所記之事，並爲《通鑑》所採。則皆出於宋以前可知。

今總括群書，分十五類。首曰正史，大綱也；次曰編年，曰別史，曰雜史，曰詔令奏議，曰傳記，曰史鈔，曰載記，皆參考紀傳者也；曰時令，曰地理，曰職官，曰政書，曰目錄，皆參考諸志者也；曰史評，參考論贊者也。舊有譜牒一門，然自唐以後。譜學殆絕。玉牒既不頒於外，家乘亦不上於官，徒存虛目，故從刪焉。

《漢書·藝文志·六藝略》無著錄史籍之類，而以《世本》、《楚漢春秋》、《太史公》百三十篇，下逮《漢大年紀》之屬，附於《春秋》之後，良以其時史籍無多，不煩別立一門。其後記事之書日繁，乃不得不自成一類。然如荀勖《中經新簿》以史籍爲丙部，李充《晉元帝時書目》又改爲乙部，阮孝緒《七錄》有《記傳錄》以統史傳，尚未明標「史部」之名。明標「史部」，自《隋書·經籍志》始。復分爲正史、古史、雜史、霸史、起居注、舊事、職官、儀注、刑法、雜傳、地理、譜系、簿錄十三目。其後歷代史志，遞有增損進退。《舊唐書·經籍志》、《新唐書·藝文志》同分爲正史、編年、僞史、雜史、起居注、故事、職官、雜傳、儀注、刑法、目錄、譜牒、地理，亦十三目，而稍有不同。《宋史·藝文志》所異於前〈志〉者，惟別史、史鈔二目爲新立耳。此外公私書錄，分別史目，皆大同小異，略有出入。《四庫總目》斟酌權衡，不無增減，故定爲十有五類。

考私家記載，惟宋明兩代爲多。蓋宋明人皆好議論，議論異則門户分，門户分則朋黨立，朋黨立則恩怨結。恩怨既結，得志則排擠於朝廷，不得志則以筆墨相報復。其中是非顛倒，頗亦熒聽。

宋仁宗時，范仲淹貶饒州，歐陽修以直仲淹見逐，目之曰黨人，自是朋黨之論遂起。元祐時，蘇軾、程頤等分黨相爭，至有洛、蜀、朔三黨之目。徽宗時，蔡京爲相，於端禮門外立黨人碑，言司馬光以下一百二十人皆爲姦黨。凡不附己者，悉以黨事陷之。明萬曆間，顧憲成、高攀龍等修葺宋楊時所建之東林書院於無錫，講學其中。寖假而諷議朝政，裁量人物。士大夫聞風嚮附，遂有東林黨之稱。魏忠賢亂政，忌東林者，伺隙中傷，遂興黨獄，禁錮殆盡，至籍其名以示天下。崇禎初，忠賢伏誅，公論始明，東林復盛。然與閹黨仍相報復，禍迄明亡始已。宋明兩代朋黨之爭最厲，特舉其大者言之，爲害已中於國家。當其互相攻擊之時，醜詆漫罵，無所不用其極。甚或嗾使文士，造爲短書小冊以播之遐邇，於是記事之作遂繁，仍附諸史部。顛倒是非，多不可信，故《四庫總目敘》特拈出言之。

然雖有疑獄，合衆證而質之，必得其情；雖有虛詞，參衆說而核之，亦必得其情。張師棣《南遷錄》之妄，鄰國之事無質也，趙與時《賓退錄》，證以金國官制而知之。《碧雲騢》一書，誣謗文彥博、范仲淹諸人。晁公武以爲眞出梅堯臣，王銍以爲出自魏泰，邵博又證其眞出堯臣，可謂聚訟。李燾卒參互而辨定之，至今遂無異說，此亦考證欲詳之一驗。然則史部諸書，自鄙倍冗雜，灼然無可採錄外，有裨於正史者，固均宜擇而存之矣。

此承上文言僞書雖行於世，然能多方取證以論斷之，亦無由以熒惑眾聽也。《南遷錄》一卷，舊題金張師顏撰，紀金愛王大辨據五國城及元兵圍燕，貞祐遷都汴京之事，與《金史》多牴牾不合。宋趙與時《賓退錄》卷三云：「近歲金虜爲韃靼所攻，自燕奔汴。有《南遷錄》一編，盛行於時，其實僞也。卷首題通直郎秘書省著作郎騎都尉賜緋張師顏編。虜之官制，具於《士民須知》，獨無通直一階，其僞一也。虜之世宗，以孫原王璟爲儲嗣，父曰允恭。璟立，追尊允恭爲顯宗。《錄》乃謂璟爲允植之子，其僞二也。虜之君臣皆以小字行，然各自有名。粘罕名宗維，兀朮名宗弼。《錄》乃稱忠獻王罕，忠烈王朮，其僞三也。虜事中國不能詳，然灼知其僞者已如此，而士大夫多信之。」《碧雲騢》一卷，晁公武《郡齋讀書志》題「皇朝梅堯臣聖俞撰」。《文獻通考·經籍考》卷四十四，引李燾曰：「《碧雲騢》一書，凡慶歷以來名公鉅卿，無不譏詆。世傳此書出於梅堯臣怨懟之口，其後諸公論議多矣，如葉夢得、王銍，則以爲非堯臣所爲。而邵博乃疑其詩以爲堯臣之意眞有所不足，遂以此書爲實出於堯臣。今以魏泰《東軒筆錄》考之，然後知泰之嫁名於堯臣者，不特此書也，《筆錄》載文彥博燈籠錦事，大略如《碧雲騢》所云。其載堯臣作唐介〈書竄詩〉，則句語狂肆，非若堯臣平時所作簡古純粹，平淡深遠。又曰：『堯臣作此詩，不敢示人。及歐陽修爲編其集，時有嫌避，又削去此詩，是以人少知者』。詳味此言，是泰既以此詩嫁於堯臣，又慮議者以爲修所編無此，遂曰修有嫌避而此不載，皆無所考之辭也。觀此則謂泰以《碧雲騢》之書假名堯臣不妄矣。況堯臣平日爲人仁厚樂易，未嘗忤於物，歐陽修嘗以此而銘其墓。使堯臣怨懟，果爲此書以厚誣名臣，則所養可知矣。今市井輕浮之子，未必爲之，而謂堯臣爲之哉！」李氏考證詳析，足成定論矣。《四庫總目敘》所舉王銍之說，見王氏《雪溪集．跋范仲尹墓誌》；邵博之說，見邵氏《聞見後錄》卷十六。而李氏均已概括言之矣，故不復備引其說。

正史類敘

正史之名，見於《隋志》。至宋而定著十有七。

錢大昕《十駕齋養新錄》卷六曰：「唐時以《史記》、《漢書》、《後漢書》、

《三國志》、晉、宋、齊、梁、陳、魏、齊、周、隋書爲十三代史。宋人於十三史之外，加以《南北史》及《唐》、《五代》，於是有十七史之名。《宋史・藝文志》史鈔類有《十七史贊》、名賢《十七史確論》一百四卷，類事類有王先生《十七史蒙求》十六卷。」王鳴盛《十七史商榷》卷九十九曰：「大約《史》、《漢》、《三國》，備於晉初；《晉》及《南北朝》，皆定於唐太宗、高宗之世，而書猶藏廣內，既無刻板，流布人間者甚少，故學者所習，《三史》、《三國》而止。直至宋仁宗天聖二年，方出禁中所藏《隋書》，付崇文院雕板；嘉祐六年，并梁、陳等史，次第校刻，其工蓋至英宗方粗就。觀校者稱仁宗云云，則可見。於是歷代事蹟，粲然明著。然其中如《魏書》，以學者陋之而不習，亡逸不完者，已無慮三十卷，校者各疏於逐篇之末。《北齊》亦多闕者，《宋書》第四十六卷亦闕，蓋皆以《南北史》補之。又改劉昫《舊唐書》爲《新唐書》，改薛居正《五代史》爲《五代史記》，乃合爲十七史。」觀兩家所言，可以知其由來。大抵正史名數，隨時代而有增益，本無定目也。

明刊監版，合宋、遼、金、元四史，爲二十有一。

顧炎武《日知錄》卷十八曰：「宋時止有十七史，今則并宋、遼、金、元四史爲二十一史。但遼、金二史，向無刻本；南北齊、梁、陳、周書，人間傳本亦罕。故前人引書，多用《南北史》及《通鑑》，而不及諸書；如不復采遼、金者，以行世之本少也。嘉靖初，南京國子監祭酒張邦奇等，請校刻史書，欲差官購索民間古本，部議恐滋煩擾，上命將監中十七史舊板，考對修補，仍取廣東《宋史》板付監；遼、金二史無板者，購求善本翻刻；十一年七月成，祭酒林文俊等表進。至萬曆中，北監又刻《十三經》、《二十一史》，其板規南稍工，而士大夫遂家有其書。歷代之事蹟，粲然於人間矣。然校勘不精，訛舛彌甚，且有不知而妄改者。」此段記載，可以考見明刊監版原委。當時國子監所刊之書，省稱監本，其刻版日監版。明南北兩監皆刊經史，故又有南監本、北監本之別。但校勘不精，錯誤不少，且有經不學者之手而妄改者，斯固明人刻書之通弊也。

皇上欽定《明史》，又詔增《舊唐書》爲二十有三。近蒐羅四庫，薛居正《舊五代史》得裒集成編。欽稟睿裁，與歐陽修書並列，共爲二十有四，今並從官本校錄。

皇上旨修《四庫全書》時之清高宗乾隆帝也。自康熙十八年詔修《明史》，雍正二年，詔諸臣續蕆其事，至乾隆四年告成。加入二十一史，合刊爲二十二史。後又增劉昫《舊唐書》、薛居正《舊五代史》，爲二十四史。由武英殿開雕，並附《考證》，即所謂殿本也。大抵古人爲書，各有原名，如劉昫撰述唐代史實，本名《唐書》；歐陽修撰述五代史實，本名《五代史記》；新舊之名，皆後來所附加。亦猶歐陽修、宋祁合撰之《唐書》稱《新唐書》，薛居正所撰之《五代史》稱《舊五代史》耳。誠以一代之史而有兩書並行，如不依修書先後而冠以新舊之名，則易致混淆，難於區辨也。今既約定俗成，故亦沿用不改耳。

薛居正《五代史》取材自廣，較歐陽修《五代史記》實爲詳贍，故卷帙倍之。初與歐陽修書並行於世，至金章宗泰和七年，詔學官止用歐陽修史，於是薛史遂微。元明以來，罕有援引其書者，傳本亦漸就湮沒。明初修《永樂大典》，多載其文。然割裂淆亂，已非薛書篇第之舊。四庫館臣就《大典》各韻中所引薛史，甄錄條繫，排纂先後，檢其篇第，尚得十之八九；又考宋人書之徵引者，每條採錄，以補其闕。遂得依原本卷數，勒成一編。此書晦而復彰，散而復聚，當日館臣中，以邵晉涵一人盡力爲多。錢大昕《潛研堂文集》卷四十三〈邵君墓誌銘〉有云：「自歐陽公《五代史》出，而薛氏舊史廢，獨《永樂大典》采此書。君在館會粹編次，其闕者采《冊府元龜》諸書補之，由是薛史復傳人間。」錢所言，乃實錄也。

凡未經宸斷者，則悉不濫登。蓋正史體尊，義與經配，非懸諸令典，莫敢私增，所由與稗官野記異也。

「正史」之名，唐以前未有也。自唐設館修史，然後名朝廷詔修之史籍爲正史，亦猶唐初詔修五經義疏爲《五經正義》耳。《隋書·經籍志·史部正史類敘》有云：「世有著述，皆擬班、馬，以爲正史，作者尤廣，一代之史，至數十家。」是其所謂正史，皆紀傳體也。劉知幾《史通》有《古今正史篇》，敘列所及，並舉紀傳、編年，初未嘗專宗紀傳。嗣《唐志》列紀傳爲正史，而編年別成一類，宋以後皆因之。顧如晁公武《郡齋讀書志·史部敘》曰：「編年、紀傳，各有所長，未易以優劣論。而人皆以紀傳便於披閱，獨行於世，號爲正史，不亦異乎！」章學誠《史考釋例》亦曰：「編年之書，出於《春秋》，本正史也。乃班馬之學盛，而史志著錄，皆不以編年為正史。紀傳、編年，古人未有軒輊；自唐以後，皆沿《唐志》之稱，於義實為未安。」可知自來學者，偶言及此，亦遞有是非。必如《四庫總目敘》所云：「正史體尊，義與經配。」揆諸情實，夫豈其然。

其他訓釋音義者，如《史記索隱》之類；掇拾遺闕者，如《補後漢書年表》之類；辨正異同者，如《新唐書糾謬》之類；校正字句者，如《兩漢刊誤補遺》之類。若別為編次，尋檢為繁；即各附本書，用資參證。至宋、遼、金，元四史譯語，舊皆舛謬；今悉改正，以存其眞。其子部、集部，亦均視此。以考校釐訂，自正史始。僅發其凡於此。

唐司馬貞撰《史記索隱》三十卷，宋熊方撰《補後漢書年表》十卷，吳縝撰《新唐書糾謬》二十卷，吳仁傑撰《兩漢刊誤補遺》十卷，此類著述甚多，《四庫總目敘》特舉四家之書以示例耳。自漢迄隋，訓釋史籍之書甚多，至唐而臻極盛。今所行三史舊注，皆唐人作也。至於掇拾遺闕、辨正異同、校正字句之業，至宋始有專書，亦宋人爲之最勤。《四庫總目敘》所列三家，皆宋人也。此類撰述，各附本書，用資參證，其例甚善。顧考校釐訂之業，經部諸書，早已有之，初不自正史始耳。

編年類敘

司馬遷改編年爲紀傳，荀悅又改紀傳爲編年。劉知幾深通史法，而《史通》分敘六家，統歸二體。則編年、紀傳，均正史也。其不列爲正史者，以班、馬舊裁，歷朝繼作；編年一體，則或有或無；不能使時代相續，故姑置焉，無他義也。今仍蒐羅遺帙，次於正史，俾得相輔而行。

《春秋》一書，繫日月以爲次，列時歲以相續，中國外夷，同年共載。《左傳》本《春秋》而詳其事，實爲編年史之祖。司馬遷整齊舊事，成書一百三十篇。〈紀〉以包舉大端，〈傳〉以敘述人事，〈表〉以譜列年爵，〈書〉以總括典章，遂開紀傳一體、自《漢書》以下，悉沿其例。然司馬氏「敘三千年事，唯五十萬言；班固敘二百年事，乃八十萬言。」晉張輔語文之煩省，固自不同。其後漢獻帝以《漢書》文繁難理，乃令荀悅依《左氏傳》體，爲《漢紀》三十卷，斯乃改紀傳爲編年之創例也。其後張璠、袁宏俱有《後漢紀》，孫盛有《魏氏春秋》、《晉陽秋》，干寶有《晉紀》，裴子野有《宋略》，吳均有《齊春秋》，何之元有《梁典》，王劭有《北齊志》，名雖各異，皆依《漢紀》以爲準的。故自唐以前，紀傳、編年二體，遂並行於世。

劉知幾論列諸史流別，區爲六家：一曰尚書家，二曰春秋家；三曰左傳家，四曰國語家；五曰史記家；六曰漢書家。《尚書》、《春秋》、《國語》、《史記》，後人無以爲繼，其體遂致曠廢；所可祖述者，惟《左傳》、《漢書》二家，遂開編年、紀傳二體。故《史通》既有〈六家篇〉以溯其原，又有〈二體篇〉以明其變。然校論二體，各有短長；學者沿波，遂分軒輊。蓋紀傳之體，立〈本紀〉以爲綱，分〈列傳〉以詳事；典章繁重，則分類綜括以爲〈志〉，年爵紛綸，則旁行斜上以爲〈表〉，實能兼編年之長而於事無漏，故後世多用其體。若編年之書，事繫於年，人見於事。其有經國大制非屬一年，幽隱名賢未關一事者，則以難爲次序，略而不載，故後世病其體之局隘，多缺而勿續。

此「班、馬舊裁，歷朝繼作；編年一體，或有或無」之故也。《隋志》史部有起居注一門，著錄四十四部；《舊唐書》載二十九部，併實錄爲四十一部，《新唐書》載二十九部；存於今者，《穆天子傳》六卷，溫大雅《大唐創業起居注》三卷而已。《穆天子傳》雖編次年月，類小說傳記，不可以爲信史。實惟存溫大雅一書，不能自爲門目，稽其體例，亦屬編年，今併合爲一，猶《舊唐書》以《實錄》附《起居注》之意也。

《隋書·經籍志》曰：「《起居注》者，錄記人君言行動止之事。《春秋傳》曰：『君舉必書，書而不法，後嗣何觀？』《周官》內史，掌王之命，遂書其副而藏之，是其職也。漢武帝有《禁中起居注》，後漢明德馬后撰《明帝起居注》。然則漢時《起居》似在宮中，爲女史之職。然皆零落，不可復知。今之存者，有漢獻帝及晉代以來《起居注》，皆近侍之臣所錄。晉時又得汲冢書，有《穆天子傳》，體制與今起居正同，蓋周時內史所記王命之副也。」《隋志》論及《起居注》原流，可云明晰。其所著錄之書，凡四十四部，一千一百八十九卷。《舊唐書・經籍志》著錄《起居注》二十九部，九百八十三卷；《實錄》十二部，凡三百七十一卷。《新唐書・藝文志》著錄《起居注》三十八部，一千二百七十二卷。《四庫總目敘》乃云《新唐書》載二十九部，蓋沿上句「《舊唐書》載二十九部」而誤耳。

晉武帝太康二年，汲郡（今河南汲縣）人不準盜發魏襄王墓，得竹簡古書甚多，而《竹書紀年》、《穆天子傳》皆在其中。《穆天子傳》紀周穆王西行事，晉郭璞爲之《注》，故傳於後世。論者多疑其僞，而明人胡應麟《四部正譌》、近人顧實《重考古今僞書考》皆尊信之，目爲古史之遺。顧氏且深斥《四庫總目》列《穆傳》於小說類之妄。唐溫大雅撰《大唐創業起居注》三卷。上卷記起義旗至發引四十八日之事，中卷記自太原至京城一百二十六日之事，下卷記自攝政至即眞一百八十三日之事。據事直書，無所粉飾，論者多推爲信史。自《隋志》於史部闢起居注一門，而《唐志》因之，《舊唐書》且併《實錄》入《起居注》，論者目爲一物，而其實非也。考唐初自《起居注》外，別有《實錄》，名近而體例不同。《貞觀政要》卷七曰：「貞觀十三年，褚遂良爲諫議大夫，兼知起居注。太宗問曰：『卿比知《起居》，書何等事，大抵於人君得觀見否？朕欲見此注記者，將觀所爲得失，以自警戒耳。』遂良曰：『今之起居，古之左右史，以記人君言行，善惡畢書，庶幾人主不爲非法，不聞帝王躬自觀史。』」「貞觀十四年，太宗謂房玄齡曰：『朕每觀前代史書，彰善癉惡，足爲將來規誡，不知自古當代國史何因不令帝王親見之？』對曰：『國史既善惡畢書，庶幾人主不爲非法，止應畏有忤旨，故不得見也。』太宗曰：『朕意殊不同古人。今欲自看國史者，蓋有善事，固不須論；若有不善，亦欲以爲鑒誡，使得自修改耳。卿可撰錄進來。』玄齡等遂刪略國史，爲編年體，撰《高祖》《太宗實錄》各二十卷，表上之。」據此，可知《起居注》但記人君言行，而《實錄》則由刪錄國史而成。體之弘纖不同，而爲用亦異。《舊唐書》以《實錄》附《起居注》，非也。惟《實錄》與《起居注》俱爲編年體，自不得別爲門類，《文獻通考·經籍考》從《宋志》之例，而置於編年之末。其例較安。考《隋志》著錄古史三十四部，內有袁曄撰《獻帝春秋》十卷，殆亦後世《實錄》之類。然則《實錄》、《起居注》合於編年，又不自《宋志》始矣。《四庫總目》併《起居注》於編年，是也；而置《實錄》於別史，則倫類不侔矣。

紀事本末類敘

古之史策，編年而已，周以前無異軌也；司馬遷作《史記》，遂有紀傳一體，唐以前亦無異軌也。至宋袁樞，以《通鑑》舊文，每事為篇，各排比其次第，而詳敘其始終，命曰《紀事本末》，史遂又有此一體。

《四庫總目》卷四十九，〈通鑑紀事本末·提要〉曰：「唐劉知幾作《史通》，敘述史例，首列六家，總歸二體。自漢以來，不過紀傳、編年兩法，乘除互用。然紀傳之法，或一事而複見數篇，賓主莫辨；編年之法，或一事而隔越數卷，首尾難稽。樞乃自出新意，因司馬光《資治通鑑》，區別門目，以類排纂。每事各詳起訖，自為標題；每篇各編年月，自為首尾。始於三家之分晉，終於周世宗之征淮南。包括數千年事蹟，經緯明晰，節目詳具；前後始末，一覽了然。遂使紀傳、編年，貫通為一，實前古之所未見也。」此段議論，於紀事本末之功用，推闡至明。蓋自此體一出，乃與紀傳、編年，鼎立而三矣。

梁啓超《中國歷史研究法》第二章曰：「善鈔書者，可以成創作。荀悅《漢紀》而後，又見之於宋袁樞之《通鑑紀事本末》。編年體以年爲經，以事爲緯，使讀者能瞭然於史蹟之時際的關係，此其所長也。然史蹟固有連續性，一事或亘數年或亘百數十年。編年體之紀述，無論若何巧妙，其本質總不能離帳簿式。讀本年所紀之事，其原因在若干年前者，或已忘其來歷；其結果在若干年後者，苦不能得其究竟。非直翻檢爲勞，抑亦寡味矣。樞鈔《通鑑》，以事爲起訖；千六百餘年之書，約之爲二百三十有九事。其始亦不過感翻檢之苦痛，爲自己研究此書謀一方便耳。及其既成，則於斯界別闢一蹊徑焉。蓋紀傳體以人爲主，編年體以年爲主，而紀事本末體以事爲主。夫欲求史蹟之原因結果以爲鑑往知來之用，非以事爲主不可。故紀事本末體於吾儕之理想的新史最爲相近，抑亦舊史界進化之極軌也。樞所述僅局於政治，其於社會他部分之事項多付闕如。其分目仍涉瑣碎，未極貫通之能事。然彼本以鈔《通鑑》爲職志，所述不容出《通鑑》外，則著書體例宜然。即提要鉤玄之功，亦愈後起而愈易致力，未可以吾儕今日之眼光苛責古人也。樞書出後，明清兩代踵作頗多。然謹嚴精粹，亦未有能及樞者。」觀乎梁氏所言，則於紀傳、編年、紀事本末三體之得失利病，可以瞭然矣。

夫事例相循，其後謂之因，其初皆起於創。其初有所創，其後即不能不因。故未有是體以前，微獨紀事本末創，即紀傳亦創，編年亦創。既有是體以後，微獨編年相因，紀傳相因，即紀事本末亦相因。因者既眾，遂於二體之外，別立一家。今亦以類區分，使自爲門目。凡一書備諸事之本末，與一書具一事之本末者，總彙於此。其不標紀事本末之名，而實爲紀事本末者，亦併著錄。若夫偶然記載，篇帙無多，則仍隸諸雜史傳記，不列於此焉。

章學誠《文史通義．書教下》曰：「司馬《通鑑》，病紀傳之分，而合之以編年；袁樞《紀事本末》，又病《通鑑》之合，而分之以事類。按本末之爲體也，因事命篇，不爲常格，非深知古今大體，天下經綸，不能網羅隱括，無遺無濫。文省於紀傳，事豁於編年，決斷去取，體圓用神，斯眞《尙書》之遺也。」章氏此言似矣，而未盡然也。蓋《尙書》所載，包容至廣，劉知幾《史通．六家篇》所謂「《書》之所主，本於號令，故所載皆典、謨、訓、誥、誓命之文。至於堯、舜二典，直序人事；〈禹貢〉一篇，唯言地理；〈洪範〉總述災祥；《顧命》都陳喪禮；茲亦爲例不純者也。」然則《尚書》自敘人事外，旁涉禮文，兼詳典制，因事名篇，自爲經緯，若以紀事本末方之《尚書》，僅得其一體耳。大抵宋人治學，好勤動筆。每遇繁雜之書，難記之事，輒手鈔存之，以備觀省，其於群經諸子，莫不皆然。袁氏之鈔《通鑑》，初無意於著述，及其書成法立，遂爲史學闢一新徑，亦盛業也。要之著述多門，其體非一，固有因襲前修者，亦有自爲義例者。宋賢史學，太抵步趨漢儒：司馬《通鑑》，衍荀悅之例者也；宋神宗謂其書賢於荀悅，可知屬稿之初，實承《漢紀》體例而作。鄭樵《通志》，衍太史公之例者也。若紀事本末之書，則實古無是體，而宋人創之。禮以義起，爲用尤弘。何必遠攀三古，謂爲《尚書》之遺教乎！

別史類敘

《漢藝文志》無史名。《戰國策》、《史記》均附見於《春秋》。厥後著作漸繁，《隋志》乃分正史、古史、霸史諸目。然梁武帝、元帝《實錄》，列諸雜史，義未安也。陳振孫《書錄解題》，創立別史一門，以處上不至於正史，下不至於雜史者，義例獨善，今特從之。

《隋志》分史部爲十三類，獨無編年類。凡依年月記事之書，歸入古史一類。帝王《實錄》，無類可歸。故《隋志》有《梁皇帝實錄》三卷，周興嗣撰，記武帝事，又有《梁皇帝實錄》五卷，梁中書郎謝吳撰，記元帝事；故皆入之雜史耳。

蓋編年不列於正史，故凡屬編年，皆得類附。《史記》、《漢書》以下，已列爲正史矣，其歧出旁分者，《東觀漢紀》、《東都事略》、《大金國志》、《契丹國志》之類，則先資草創；《逸周書》、《路史》之類，則互取證明；《古史》、《續後漢書》之類，則檢校異同。其書皆足相輔，而其名則不可並列。命曰別史，猶大宗之有別子云爾。包羅既廣，六體兼存。必以類分，轉形瑣屑。故今所編錄，通以年代先後爲敘。

自班固撰成《漢書》，以紀西京二百三十年事。後漢明帝時，乃命群臣理董東京史實，勒成一代之典。始詔班固與睢陽令陳宗、長陵令尹敏、司隸從事孟異，共成《世祖本紀》，即斯事之權輿。其後歷安帝、桓帝續有增修，由〈本紀〉而旁及於〈列傳〉、〈表〉、〈志〉。至靈帝熹平中，成書一百四十三卷，以其著作東觀，故名《東觀漢記》。晉人即以是書與《史記》、《漢書》並稱三史，人多習之。至唐章懷太子李賢注范曄《後漢書》，盛行於世，而此書遂微。原書散佚已久，《四庫總目》著錄之二十四卷，乃自《永樂大典》中輯出者也。宋王偁述北宋九朝之事，凡一百三十卷，名《東都事略》。敘事簡賅，可據以訂元修《宋史》之謬。宋宇文懋昭撰《大金國志》四十卷，乃取金太祖至哀宗九主一百十七年事蹟裒集而成。宋葉隆禮著有《契丹國志》二十七卷。此數種書，皆紀傳體也。《漢書·藝文志·六藝略》著錄《周書》七十一篇，與《尙書》並列，即世所稱《逸周書》。今本自〈度訓〉第一、至〈器服〉第七十，篇目俱存，惟亡其十一篇。說者謂加〈序〉一篇，即《漢志》七十一篇之舊。俗或題曰《汲冢周書》，非也。自司馬遷述往事，已云：「百家言黃帝，其文不雅馴，薦紳先生難言之。」〈五帝本紀贊〉。又云：「唐虞以上，不可記已。」〈龜策列傳〉又云：「夫神農以前，吾不知已。」〈貨殖列傳〉又云：「自高辛氏之前，尚矣；靡得而記云。」〈平準書〉司馬於荒遠無稽之事，闕所不知，蓋其慎也。獨宋人生千載之後，病其漏略，追述上古三皇，思有以補之。北宋蘇轍，撰《古史》六十卷，上起伏羲，下迄秦始皇帝，凡〈本紀〉七，〈世家〉十六，〈列傳〉三十七。南宋羅泌，撰《路史》四十七卷，紀上古之事，多依據緯書及道經，益荒誕不足信矣。撰述《續後漢書》者有兩家，一爲宋蕭常所撰，四十七卷；一爲元郝經所撰，九十卷。皆以陳壽《三國志》帝魏黜蜀，爲之更定而作。蕭書大旨重在書法，郝書則敦尚氣節，均於史實少所裨益也。《四庫總目敘》，既列舉此八種書以示例，因各疏其概略於此。

《四庫總目．正史類跋》有云：「若茅國縉、蔣之翹之《晉書》，刪改原文；《宋史新編》之屬，非其本書；《五代史補》、《五代史闕文》，亦增益於本書之外；如斯之類，則均入別史焉。」〈別史類跋〉云：「《東觀漢記》、《後漢書補逸》之類，本皆正史也；然其書已不完，今又不列於正史，故概入此門。」〈別史類存目跋〉云：「晉宋及明，皆帝王之正傳，其郭倫《晉紀》，柯維騏《宋史新編》、鄧元錫、傅維鱗《明書》，亦均一代之紀傳。今並列於別史者，或私撰之本，或斥汰不用之書也。」據此諸語，可知《四庫總目》區別正史、別史，乃以完全闕殘、官修私撰、崇尚斥汰等爲標準，而未以本書之體例爲進退也。揆諸其實，殆非公允。考別史一目，舊志所無，其類例處於正史、雜史之間，然與正史之辨易，與雜史之別難。《千頃堂書目》曰：「非編年，非紀傳，雜記歷代或一代之事實者，曰別史。」《書目答問·別史類自注》曰：「別史、雜史，頗難分析。今以官撰及原本正史重爲整齊，關繫一朝大政者，入別史；私家記錄中多碎事者入雜史。」此所論列，視《四庫總目敘》爲勝。

雜史類敘

雜史之目，肇於《隋書》。蓋載籍既繁，難於條析，義取乎兼包眾體，宏括殊名。故王嘉《拾遺記》、《汲冢瑣語》，得與《魏尚書》、《梁實錄》並列，不爲嫌也。

《隋書·經籍志·史部雜史類敘》曰：「自秦撥去古文，篇籍遺散。漢初，得《戰國策》，蓋戰國游士記其策謀。其後陸賈作《楚漢春秋》，以述誅鋤秦項之事。又有《越絕》，相承以爲子貢所作。後漢趙曄又爲《吳越春秋》。其屬詞比事，皆不與《春秋》、《史記》、《漢書》相似。蓋率爾而作，非史策之正也。靈獻之世，天下大亂，史官失其常守。博達之士，愍其廢絕，各記聞見，以備遺亡。是後群才景慕，作者甚眾。又自後漢以來，學者多鈔撮舊史，自爲一書。或起自人皇，或斷之近代，亦各有志，而體制不經。又有委巷之說，迂怪妄誕，眞虛莫測。然其大抵皆帝王之事。通人君子，必博采廣覽，以酌其要。故備而存之，謂之雜史。」《隋志》既創立雜史之目，又闡明其類例如此。蓋雜者不純之謂也，所該甚廣，著錄遂繁。故由僞秦姚萇方士王嘉所撰之《拾遺記》十卷，雖記事多荒誕；從汲冢出土之《古文瑣語》四卷，雖爲諸國卜夢相書；亦不得不與孔衍所撰之《魏尙書》、周興嗣、謝吳分撰之《梁皇帝實錄》，並列於雜史類也。

> 然既繫史名，事殊小說。著書有體，焉可無分。今仍用舊文，立此一類。凡所著錄，則務示別裁。大抵取其事繫廟堂，語關軍國，或但具一事之始末，非一代之全編；或但述一時之見聞，祇一家之私記。要期遺文舊事，足以存掌故、資考證，備讀史者之參稽云爾。若夫語神怪，供詼啁；里巷瑣言，稗官所述；則別有雜家、小說家存焉。

此於雜史所不同於雜家，小說家者，辨析甚明，具見有識。觀《四庫總目》著錄之書，若《北狩見聞錄》、《松漠紀聞》、《燕翼詒謀錄》、《大金弔伐錄》之類；存目中若《龍飛錄》、《青溪寇軌》、《靖康蒙塵錄》、《建炎時政記》之類；名似筆記，實皆有裨於考史。或具一事之始末，或述一時之見聞，雖出私門，足資國史。固與庸常小說筆記之作，區以別矣。

詔令奏議類敘

記言記動，二史分司。起居注，右史事也；左史所錄蔑聞焉。王言所敷，惟詔令耳。《唐志》史部，初立此門。黃虞稷《千頃堂書目》，則移制誥於集部，次於別集。夫渙號明堂，義無虛發，治亂得失，於是可稽。此政事之樞機，非僅文章類也。抑居詞賦，於理爲褻。《尚書》誓、誥，經有明徵。今仍載史部，從古義也。

《漢書・藝文志》曰：「左史記言，右史記事；事爲《春秋》，言爲《尚書》，帝王靡不同之。」而《禮記・玉藻》則曰：「動則左史書之，言則右史書之。」其不同如此。蓋古者帝王左右，恆有二史以記其言論行動。記言者亦兼記動，記動者亦兼記言，非必二人各司其一也。故後世言及此者，錯舉爲名，致所傳異辭耳。秦漢以來詔令、奏議，錄入史傳，詔令多在本紀，奏議例歸列傳，故正史藝文、經籍志，初無詔令奏議一門。《唐書・藝文志》雖有詔令一家，著錄一十一部，三百五卷，而附於起居注類，初亦未嘗別爲一類也。細檢公私書目，合詔令奏議二者統標一類，實自《四庫總目》始，其後《書目答問》因之。《文獻通考》始以奏議自爲一門，亦居集末。考《漢志》載《奏事》十八篇，列《戰國策》、《史記》之間，附《春秋》末。則論事之文，當歸史部，其證昭然。今亦併改隸，俾易與紀傳互考焉。

《四庫總目》卷五十五〈詔令之屬跋語〉云：「詔令之美，無過漢唐。《唐大詔令》，爲宋敏求蒐輯而成，多足以裨史事。《兩漢詔令》，雖取之於三史，然彙而聚之，以資循覽，亦足以觀文章爾雅訓辭深厚之遺。兩宋以後，國政得失，多見於奏議，內外制亦多散見於諸集，故所錄從略焉。」詔令之美，無踰漢唐，是矣，即奏議亦未有能踰漢唐者。漢之賈誼，唐之陸贄，皆其選也。大抵古代詔令、奏議，修辭立誠，故其文多歸醇雅，爲人所重。用爲揣摩之資。《千頃堂書目》移制誥於集部，《文獻通考》以奏議居集末，非無故也。上觀蕭統所纂《文選》，已收詔、冊、令、教、表、奏、上書之文；下覽姚鼐《古文辭類纂》、曾國藩《經史百家雜鈔》，皆以詔令、奏議分立門類，采錄尤廣。可知昔人重其文辭，由來舊矣。惟爲書目者，以「詔令奏議」標目，猶嫌局隘，未足以統括有關之書。故《四庫總目》錄《名臣經濟錄》入此類，《書目答問》乃并《經世文編》亦收進矣。良以此類書無類可歸，不得不以附於詔令奏議耳。竊意簿錄群籍，宜有政制、政論二類，列於史部之內。《四庫總目》及《書目答問》所立「政書」一目，可以「政制」代之，《通典》、《通考》、歷代會要之屬，皆入此類。「詔令奏議」一目，可以「政論」代之；詔令、奏議、《經世文編》之屬，皆入此類。依書之內容以歸門類，則各得其所矣。

傳記類敘

紀事始者，稱傳記始黃帝，此道家野言也。究厥本源，則《晏子春秋》，是即家傳；《孔子三朝記》，其記之權輿乎！裴松之注《三國志》，劉孝標注《世說新語》，所引至繁。蓋魏晉以來，作者彌夥。諸家著錄，體例相同。其參錯混淆，亦如一軌。今略爲區別：一曰聖賢，如《孔孟年譜》之類；二曰名人，如《魏鄭公諫錄》之類；三曰總錄，如《列女傳》之類；四曰雜錄，如《驂鸞錄》之類。其杜大圭《碑傳琬琰集》、蘇天爵《名臣事略》諸書，雖無傳記之名，亦各核其實，依類編入。至安祿山、黃巢、劉豫諸書，既不能遽削其名，亦未可薰蕕同器。則從叛臣諸傳附載史末之例，自爲一類，謂之曰別錄。

《四庫總目》卷五十八〈傳記類二跋尾〉云：「傳記者，總名也。類而別之，則敘一人之始末者爲傳之屬；敘一事之始末者爲記之屬。」是傳之與記，析言有別矣。《晏子春秋》本爲周秦諸子之一，故《漢志》列之〈諸子略〉儒家類。諸子之書，不必出己手，多爲門生賓客裒集其言論行事而成，甚或及乎身後之事，無足怪者。如但見其敘事爲多，而遽謂家傳之始，而《管子》一書，亦復類此，豈可盡目爲傳乎？《漢志·六藝略》論語類，有《孔子三朝》七篇，乃孔子對魯哀公語。三朝見公，故云三朝。今《大戴禮記》中〈千乘〉、〈四代〉、〈虞戴德〉、〈誥志〉、〈小辨〉、〈用兵〉、〈少閒〉諸篇是也。所謂記者，記一時所語也，自與敘一事之始末者有不同矣。《四庫總目敘》乃謂此爲記之權輿，非也。博徵載籍，則傳記開創之功，應推司馬遷之書爲最早。彼以本紀記人主之事，世家記諸侯之政，列傳記公卿賢者之所爲以及邊裔地區之事物，由是傳記之體始備。然觀其所爲〈大宛列傳〉有云：「〈禹本紀〉言河出崑崙。」〈伯夷列傳〉乃引「其傳曰」云云，則司馬氏之前，早已有紀有傳，其所從來遠矣。司馬氏特承舊文理董之，即〈太史公自序〉中所謂「整齊其世傳」也。自兩漢以逮六朝，傳記之作大興。《隋志》史部雜傳類著錄二百一十七部，一千二百八十六卷，可謂盛矣。故劉宋時裴松之注《三國史》，蕭梁時劉孝標注《世說新語》，引證甚多。蓋其時傳記之書彌夥，可資取材者宏耳。其後學者沿波，厥流益廣。《四庫總目》區辨門類，乃以宋胡舜陟所撰《孔子編年》、孔傳所撰《東家雜記》爲聖賢之屬；以唐王方慶所撰《魏鄭公諫錄》爲名人之屬；以漢劉向所撰《列女傳》爲總錄之屬；以宋范成大所撰《驂鸞錄》爲雜錄之屬。而於歷代高僧、地方耆舊之傳記，概不之及，則亦未爲全備也。宋杜大圭錄宋代名臣碑傳凡一百七卷，元蘇天爵記元代名臣事蹟凡四十七人，所收碑、記、行狀、家傳爲多，足以裨益國史。近代如錢儀吉纂《碑傳集》，繆荃孫纂《續碑傳集》，閔爾昌纂《碑傳集補》，皆沿杜、蘇二家之例而爲之者也。至於唐姚汝能所撰《安祿山事蹟》，明茅元儀所撰《平巢事蹟考》，清初曹溶所撰《劉豫事蹟》，《四庫總目》悉歸入別錄，此緣在昔封建專制之世，君臣上下之分既嚴，叛順正僭之防尤峻，四庫館臣自不得不仰承帝王意旨，於此類書加以貶退耳。

史鈔類敘

帝魁以後，《書》凡三千二百四十篇。孔子刪取百篇，此史鈔之祖也。張衡〈東京賦〉：「昔常恨三墳、五典既泯，仰不睹炎帝、帝魁之美。」李善注引宋衷《春秋傳》曰：「帝魁，黃帝子孫也。」鄭玄作《書論》，依《尚書緯》云：「孔子求書，得黃帝玄孫帝魁之書，迄於秦穆公，凡三千二百四十篇。斷遠取近，定可以爲世法者，百二十篇。以百二十篇爲《尚書》，十八篇爲《中候》。」此說出緯書《璇璣鈐》，以爲刪去之書，達三千一百二十篇。荒遠無稽，殊不足信。豈三千一百二十篇之書，皆不足取乎？鄭君作《書論》，采用其說，非也。

《宋志》始自立門。然《隋志》雜史類中，有《史要》十卷。註：「漢桂陽太守衛颯撰。約《史記》要言，以類相從。」又有《三史略》二十卷，吳太子太傅張溫撰。嗣後專鈔一史者，有葛洪《漢書鈔》三十卷；合鈔眾史者，有阮孝緒《正史削繁》九十四卷；則其來已古矣。

《隋志》著錄《史要》十卷，《唐書·藝文志》作《史記要傳》。《三史略》，《隋志》作二十九卷；《唐書·藝文志》作《三史要略》三十卷；未有作二十卷者，《四庫總目敘》蓋鈔寫偶誤。晉散騎常侍葛洪撰《漢書鈔》三十卷，梁豫章內史張緬撰《晉書鈔》三十卷，阮孝緒撰《正史削繁》九十四卷，皆與《隋志》合。

沿及宋代，又增四例：《通鑑總類》之類，則離析而編纂之；《十七史詳節》之類，則簡汰而刊削之；《史漢精語》之類，則採摭文句而存之；《兩漢博聞》之類，則割裂詞藻而次之。迨乎明季，彌衍餘風。趨簡易，利剽竊，史學荒矣。要其含咀英華，刪除冗贅，即韓愈所稱記事提要之義。不以末流蕪濫，責及本始也。博取約存，亦資循覽。若倪思《班馬異同》，惟品文字；婁機《班馬字類》，惟明音訓；及《三國志文類》，總匯文章者；則各從本類，不列此門。

宋人沈樞，嘗取《資治通鑑》之文，仿《冊府元龜》例，分爲二百七十一門，每門各隨事標題，略依時代爲次，編成《通鑑總類》二十卷，呂祖謙讀《史記》、《漢書》、《後漢書》、《三國志》、《晉書》、《南史》、《北史》、《隋書》、《唐書》、《五代史》時，隨事節鈔，不必盡出精要，編爲《十七史詳節》二百七十三卷。洪邁有《史記法語》八卷，呂祖謙有《東漢精華》十四卷，楊侃有《兩漢博聞》十二卷，皆摘錄之編。下逮有明，此類尤廣。蓋即韓愈〈進學解〉所云「記事者必提其要，纂言者必鉤其玄」之意推衍而爲之者也。至於宋倪思撰《班馬異同》三十五卷，婁機撰《班馬字類》五卷，無名氏編《三國文類》六十卷，雖爲考校文字，辨析音聲，匯錄文辭之作，亦有助於讎對本書。《四庫總目》各歸其類，俾資參證，是矣。

自《宋志》創立史鈔一門，後之編書目者因之。章學誠則謂鈔撮之功，仍世益盛，或儒或墨，初不限於史部。宜別立書鈔一目，附史鈔後以統攝之。論者服其卓識！余則以爲別立書鈔是也，謂宜附史鈔之後，則非也。蓋昔人治學縝密，於群書莫不提要鉤玄，從事撮鈔，而以宋人爲最勤。若魏了翁撮鈔群經注疏以成《九經要義》，洪邁於群書皆有節本，自經、子至前漢皆曰法語，自後漢至唐皆曰精語，此其犖犖大者。其他小書短冊，更不可勝數。雖著錄之家，各歸本類，而門目遙隔，不相關涉，非所以辨章學術，考正得失也。竊意宜立書鈔一門，附於類書之末，以統錄古今撮鈔之編。俾學者可由此考見儒先治學之規，裨益於後世至大。且史之爲體，原以撰集舊事，與經、子立言垂訓者異趣，論者徒知荀悅《漢紀》、袁樞《紀事本末》撮鈔《漢書》、《通鑑》而成，不知班氏《漢書》本於司馬遷、劉歆諸家之書爲多，司馬《通鑑》亦采輯十七史以及雜記小書而無所遺，亦何往而非鈔錄。以其錯綜排比，整鍊而有剪裁，故能自成一家言耳。爰據斯義以尙論古史，則非特《漢書》爲鈔，《史記》亦鈔，《春秋》、《尙書》亦鈔。下觀宋世諸儒所爲書，則非特《通鑑》爲鈔，即《通志》亦鈔，《文獻通考》亦鈔。他若歷朝正史，無不根據《實錄》整齊綴輯而後成書，亦猶之鈔錄也。然則總史部之書，撮鈔者居其強半，將安用別立史鈔一目乎？

載記類敘

五馬南浮，中原雲擾。偏方割據，各設史官，其事蹟亦不容泯滅。故阮孝緒作《七錄》，「僞史」立焉；《隋志》改稱「霸史」；《文獻通考》，則兼用二名。然年祀綿邈，文籍散佚，當時僭撰，久已無存；存於今者，大抵後人追記而已。曰霸曰僞，皆非其實也。

五馬南渡，喻遷都南下也。《晉書．元帝紀》：「太安之際，童謠云：『五馬浮渡江，一馬化爲龍。』及永嘉中，王室淪覆，帝與西陽、汝南、南頓、彭城五王獲濟，而帝竟登大位焉。」按晉自元帝渡江，遷都建業，後稱東晉；宋自徽欽爲金人所擄，高宗渡江，遷都臨安，後稱南宋；皆爲渡江而南，故曰南浮。今河南、山東之西部、河北、山西之南部、陝西之東部，皆古昔所謂中原之地。歷代戰爭，多集於此，故云「中原雲擾」，言紛亂如雲也。自來稱「普天之下，莫非王土」者爲一統，如秦、漢、晉、隋、唐、宋、元、明、清是也；分據一方，建國立號者爲割據，如三國、六朝、兩晉時之十六國，五代時之十國是也。

一統之局，固有國史；割據之區，亦立史官。史傳之繁，斯稱盛矣。《史通·因習篇》云：「當晉宅江淮，實膺正朔，嫉彼群雄，稱爲僭盜。故阮氏《七錄》，以田范裴段諸記，劉石苻姚等書，別創一名，題爲僞史。及隋氏受命，海內爲家，國靡愛憎，人無彼我，而世有撰《隋書·經籍志》者，其流別羣書，還依阮《錄》。」按僞史之目，實對正史而立。阮孝緒《七錄·紀傳錄》分類十二，一曰國史；七曰僞史。雖不列「正史」之名，然孝緒撰有《正史削繁》九十四卷，著錄於《隋志》雜史類。蓋其所謂「正史」，即《七錄》中之國史也。唐修《隋志》，攻僞史爲霸史，不得謂爲全依阮《錄》也。顧僞霸之名，均甚不經，重內輕外，雖存夷夏之防，而尊此抑彼，已失是非之準。因之傳寫者少，流傳遂稀。《四庫總目》沿《東觀漢記》、《晉書》之例，改題載記，雖視僞霸爲允，而可錄之書，已不多矣。

案《後漢書·班固傳》，稱撰平林新市公孫述事爲載記；《史通》亦稱平林下江諸人，《東觀》列爲載記；又《晉書》附敘十六國，亦載記；是實立乎中朝，以敘述列國之名。今採錄《吳越春秋》以下，述偏方僭亂遺蹟者，準《東觀漢記》、《晉書》之例，總題曰載記，於義爲允。

《後漢書·劉玄傳》：「王莽末，南方饑饉，人庶群入野澤掘鳧茈而食之，更相侵奪。新市人王匡、王鳳爲平理諍訟，遂推爲渠帥，眾數百人。於是諸亡命馬武、王常、成丹等往從之，共攻離鄉聚，藏於綠林中。數月間，至七八千人。地皇三年，大疾疫，死者且半，乃各分散引去。王常、成丹，西入南郡，號下江兵；王匡、王鳳、馬武，及其支黨朱鮪、張卬等，北入南陽，號新市兵；皆自稱將軍。平林人陳牧、廖湛，復聚眾千餘人，號平林兵以應之。」〈班固傳〉稱「固又撰功臣、平林、新市、公孫述事，作〈列傳〉、〈載記〉二十八篇奏之。」此謂爲功臣作〈列傳〉，爲平林、新市、公孫述作載記也。《史通·題目篇》亦云：「唯《東觀》以平林、下江諸人，列爲載記。」是載記之名，由來已舊。《晉書》記述前涼、後涼、南涼、北涼、西涼、前趙、後趙、夏、成漢、前燕、後燕、南燕、北燕、前秦、後秦、西秦十六國事，號曰載記，凡三十卷，惟前涼、西涼事獨闕。所以名爲載記者，謂整齊其故事，載之記錄而已，不目爲正史也。直貶抑之辭也。

惟《越史略》一書，爲其國所自作。僭號紀年，眞爲僞史。然外方私記，不過附存，以聲罪示誅，足昭名分，固無庸爲此數卷，別區門目焉。

此拘墟隘陋之見也。自昔閉關自守，不與鄰邦往來，但目中土爲華夏，卑視外方爲夷狄，隘陋甚矣。卒致聞見短淺，風氣閉塞，而其害遂中於國家。觀《四庫總目》列《安南志略》、《越史略》、《朝鮮史略》、《高麗史》之類，悉入載記，而可知矣。今之治史者，宜泯夷夏之見，不設中外之防，貴能知己知彼以博求之。小則增廣見聞，大則裨益治理。對昔人拘墟之見，可一掃而空之。

時令類敘

〈堯典〉首授時；舜初受命，亦先齊七政。後世推步測算，重爲專門，已別著錄。其本天道之宜，以立人事之節者，則有時令諸書。孔子考獻徵文，以〈小正〉爲尚存夏道。然則先王之政，茲其大綱歟！

《論語・八佾》：「子曰：『夏禮吾能言之，杞不足徵也；殷禮吾能言之，宋不足徵也；足則吾能徵之矣。』」漢宋學者皆釋文爲典籍，獻爲賢人。謂凡典籍之記載，賢人之傳說，皆足資考證舊事也。《禮記・禮運》：「孔子曰：『我欲觀夏道，是故之杞，而不足徵也，吾得夏時焉』」鄭玄注云：「得夏四時之書也。其書存者有〈小正〉。」〈小正〉、即今《大戴禮記》中之〈夏小正〉也。其書紀每月之物候，至爲分明。今所存古籍中言時令之專書，蓋以此爲最早。本爲《大戴禮記》之一篇，《隋書・經籍志》始於《大戴禮記》外別出〈夏小正〉一卷。知其書單篇別行，由來舊矣。

後世承流，遞有撰述，大抵農家日用，閭閻風俗爲多，與禮經所載小異。然民事即王政也，淺識者歧視之耳。至於選詞章，隸故實，誇多鬬靡，寖失厥初，則踵事增華，其來有漸，不獨時令一家爲然。汰除鄙倍，採摘典要，亦未始非〈豳風〉、〈月令〉之遺矣。

時令之目，宋以前未有也。《直齋書錄解題》曰：「前史時令之書，皆入子部農家類。今考諸書上自國家典禮，下至里閭風俗悉載之，不專農事也。故《中興館閣書目》別爲一類，是矣。今從之。」按古者推天道以明人事，察懸象以測吉凶，施于有政，由來尚矣。而闡明論次之功，則固禮家所有事也。蓋古之所謂禮，非第儀文節目而已，舉凡國家制度之詳，陰陽變化之故，皆可以禮統之，故《漢志・六藝略》著錄《禮經》、《禮記》之後，有《明堂陰陽》三十三篇、《明堂陰陽說》五篇，其書雖俱不可見，要皆禮家所撰次以明天道者也。專詳時令之書，蓋以此爲最朔。今存於《禮記》中者，若《大戴記》之〈夏小正〉，《小戴記》之〈月令〉、〈明堂位〉，上紀星文之昏旦，雨澤之寒暑；下陳草木秭秀之候，蟲魚飛伏之時；旁及冠昏祭薦耕穫蠶桑之節；無不備焉。古代敬授民時之旨，昭然可見。此外故書雅記，所載尤廣。若《周書・時訓》、《管子・幼官、四時》諸篇、《呂民春秋・十二紀》、《淮南子・時則篇》，莫不發明申演，與記文相表裏。蓋所以貫天人之奧，明政教之原，推詳治道，百家所同，又未可專以禮家限之矣。顧其說率附載於群經諸子，而單自爲帙者絕少，著錄之家不能別立門類，亦其勢然也。《四庫總目》沿宋人舊例，仍立時令一目，意固允矣。然所錄亦止《歲時廣記》、《月令輯要》二書；存目雖增至十一部，要皆明、清人之書，詳究氣候節序以適農時者，初無與於布政宣化之大。平心論之，則前史併之子部農家類，又焉可厚非耶？

地理類敘

古之地志，載方域山川風俗物產而已。其書今不可見，然〈禹貢〉、《周禮・職方氏》，其大較矣。

《尙書・禹貢》：「別九州，隨山濬川，任土作貢」《周禮・夏官・職方氏》：「掌天下之圖，以掌天下之地，辨其邦國、都鄙、四夷、八蠻、七閩、九貉、五戎、六狄之人民，與其財用、九穀六畜之數要，周知其利害，乃辨九州之國，使同貫利。」此乃古籍中重視地理之最早記載也。蓋其所詳，方域山川風俗物產而已。漢初，蕭何收秦圖籍，故知天下要害。而《史記》八書，祇述河渠。《漢書》始創立〈地理志〉，歷代史志，多沿其體。

《元和郡縣志》頗涉古蹟，蓋用《山海經》例；《太平寰宇記》，增以人物、又偶及藝文，於是爲州縣志書之濫觴。

方志之起源甚早。遠在周代，百國分立，大者如後世之府、郡，小者僅同州縣耳。《孟子》所謂「晉之《乘》，楚之《檮杌》，魯之《春秋》，其實一也。」

以今視之，即最古之方志耳。自隋以前，方志但稱爲「記」。即以著錄於《隋書·經籍志》者而言，以三國時吳人顧啓期所撰《婁地記》爲最先。此後復有《洛陽記》、《吳興記》、《吳郡記》、《京口記》、《南徐州記》、《會稽記》、《荊州記》等數十種書。此皆後世州縣志書之作。至於分門敘述，成爲專門性記載者，尤不可勝數。《隋志·史部，地理類敘》稱：「隋大業中，普詔天下諸郡，條其風俗物產地圖，上於尚書。故隋代有《諸郡物產土俗記》一百三十一卷，《區宇圖志》一百二十九卷，《諸州圖經記》一百卷。」此乃歷代帝王下詔編纂全國性方志圖經之始。」其後如唐代李吉甫所修《元和郡縣志》，宋代樂史所修《太平寰宇記》，皆沿用其體，不得謂二書爲州縣志之濫觴也。下逮元，明、清三朝所修《一統志》，亦循斯例矣。

元、明以後，體例相沿，列傳侔乎家牒，藝文溢於總集，末大於本，而輿圖反若附錄，其間假借夸飾，以侈風土者，抑又甚焉。

我國繪製地圖之法，發明甚早。《周禮·地官》所載：「大司徒之職，掌建邦之土地之圖，與其人民之數。以佐王安擾邦國。以天下土地之圖，周知九州之地域廣輪之數，辨其山林川澤丘陵墳衍原隰之名物。」而〈夏官〉又稱：「職方氏掌天下之圖。」即使《周禮》爲戰國晚出之書，亦足證明地圖在周末已爲治國者所重視。故隋代既有《區宇圖志》一百二十九卷，復有《諸州圖經集》一百卷。圖與書並重，由來舊矣。地圖而必名爲輿地圖或稱輿圖者，司馬貞《史記索隱》云：「謂地爲輿者，天地有覆載之德，故謂天爲蓋，謂地爲輿，故地圖稱輿地圖。疑自古有此名，非始漢也。」李賢《後漢書注》又云：「《廣雅》：輿、載也。言載在地者，皆圖畫之。」要皆以載釋輿，其意一耳。惟地圖繪製不易，保存亦難；不比文字，鈔錄即可傳世。元明以後之修志者，多尚空文，憚存實蹟，輿圖降爲附錄，不足怪也。

王士禛稱《漢中府志》，載木牛流馬法；《武功縣志》載織錦璇璣圖。此文士愛博之談，非古法也。

斯論甚陋，不可爲訓。大抵方志取材，以社會爲中心，與正史但詳一姓之成敗興替者不同。舉凡風俗習慣、民生利病、物產土宜、奇技異能，一切不載於正史中者，方志皆詳著之。其足裨益國史，亦即在此。《漢中府志》載木牛流馬法，《武功縣志》載織錦璇璣圖，實有其物，足資考證，筆之於書，有何不可！以文士愛博之談斥之，非也。王士禛說，見《居易錄》卷十九。

然踵事增華，勢難遽返。今惟去泰去甚，擇尤雅者錄之。凡蕪濫之編，皆斥而存目。其編類：首宮殿疏，尊宸居也；次總志，大一統也；次都會郡縣，辨方域也；次河防，次邊防，崇實用也；次山川、古蹟，次雜記，次遊記，備考核也；次外紀，廣見聞也。若夫《山海經》、《十洲記》之屬，體雜小說，則各從本類，茲不錄焉。

《四庫總目》綜錄古今地理之書，區分門目，以類相從，可謂剖析有條理矣。顧吾以十類之中，總志及都會郡縣，宜合爲一而擴充之，在史部中別立方志一門，以與地理並列。自來簿錄之家，不立方志獨爲一類，乃書目中缺陷也。亦由前人不重視方志之探研，僅目爲地理書之附庸耳。《山海經》爲古今語怪之祖，劉歆校定其書，以爲「禹任土作貢，而益等類物善惡，著《山海經》。」非也。司馬遷但云「〈禹本紀〉、《山海經》所有怪物，余不敢言；」而未言爲何人所作。觀其敘述山川、草木、金玉、禽鳥、獸畜、蟲魚，既徵博物，可資考古。況自殷墟卜辭出土，而王亥一名，即取證於是書，可知此書包羅宏富，自必前有所承，蓋戰國時學者裒集舊聞遺事而成，不可廢也。《十洲記》，亦稱《海內十洲記》，凡一卷，舊題東方朔撰，考劉向所錄朔著無此書，《漢書·藝文志》亦不著錄，其爲僞託無疑。所謂祖洲、瀛洲、懸洲、炎洲、長洲、元洲、流洲、生洲、鳳麟洲、聚窟洲等十洲之名，前無所聞，全出臆造。又後附以滄海島、方丈洲、扶桑、蓬丘、崑崙五條。詞藻豐美，有助文章。李善《文選注》、陸德明《經典釋文》皆引其書爲證，蓋六朝詞人所依託，故其書始著錄於《隋書·經籍志》。《四庫總目》錄《山海經》、《十洲記》入子部小說家類。

職官類敘

前代官制，史多著錄，然其書恆不傳。

《隋書·經籍志》云：「古之仕者，名書於所臣之策，各有分職以相統治。《周官》冢宰掌建邦之六典，而御史數凡從正者。然則冢宰總六卿之屬以治其政，御史掌其在位名數先後之次焉。今《漢書·百官表》，列眾職之事，記在位之次，蓋亦古之制也。漢末，王隆、應劭等，以〈百官表〉不具，乃作《漢官解詁》、《漢官儀》等書。是後相因，正史表、志，無復百僚在官之名矣。搢紳之徒，或取官曹名品之書，撰而錄之，別行於世。宋、齊已後，其書益繁。而篇卷零疊，易為亡散。又多瑣細，不足可紀，故刪。其見存可觀者，編為職官篇。」是唐初修《隋志》時，前代官制之書，亡散者固多，而刪除者亦不少，書之不傳，不外二途矣。

《南唐書·徐鍇傳》，稱後主得齊職制，其書罕覯，惟鍇知之，今亦無舉其名者。

陸游《南唐書·徐鍇傳》：「徐鍇，字楚金，會稽人。酷嗜讀書，隆寒烈暑，未嘗少輟。後主嘗得周載《齊職儀》，江東初無此書，人無知者。以訪鍇，一一條對，無所遺忘，其博記如此。」史家於末造之主，多稱後主。如蜀漢劉後主禪、六朝時陳後主叔寶、南唐李後主煜，皆是。此處所稱後主，乃南唐李後主也。

世所稱述，《周官》以外，惟《唐六典》最古耳。

《周官》一書，乃六國時人雜采當時各國政制編纂而成之官制彙編。後既列之爲經，遂爲述職官者所祖。唐玄宗時，修《唐六典》。其書以三師、三公、三省、九寺、五監、十二衛，列其職司官佐，敘其品秩，以擬《周官》，其沿革則於注中詳之，凡三十卷。

蓋建官爲百度之綱。其品名職掌，史志必撮舉大凡，足備參考。故本書繁重，反爲人所倦觀。且惟議政廟堂，乃稽舊典。其間如元豐變法，事不數逢。故著述之家，或通是學，而無所用。習者少，則傳者亦稀焉。

此言歷代職官，多見史志，無煩專書敘述，故自來以此爲專門之學者甚少，而專著之傳世者不多也。

今所採錄，大抵唐宋以來一曹一司之舊事，與儆戒訓誥之詞，今釐爲官制、官箴二子目，亦足以稽考掌故，激勸官方。明人所著，率類州縣志書，則等之自鄶矣。

唐人李肇所撰《翰林志》，宋人程俱所撰《麟臺故事》、陳騤所撰《南宋館閣錄》、周必大所撰《玉堂雜記》、呂本中所撰《官箴》、許月卿所撰《百官箴》之類，雖非職官專書，而可供考證、資勸戒之用爲多，故《四康總目》擇其要者著錄之。至於明人撰述，如黃佐《南廱志》、蕭根《虔臺志》、馮世雍《呂梁洪志》、徐桂《鄖臺志略》之類，雜記一地掌故，略與方志無殊，故《四庫總目》悉入存目焉。鄶爲周代妘姓之小國，後滅於鄭。春秋時吳季札觀樂於魯，魯爲歌雅頌及各國之詩，季札各有評論，自鄶以下無譏焉。事見《左傳》。鄶亦作檜。今凡言降而愈下，至不屑評論者，謂之自鄶以下。

政書類敘

志藝文者，有故事一類。其間祖宗創法，奕葉愼守者，是爲一朝之故事；後鑒前師，與時損益者，是爲前代之故事。史家著錄，大抵前代事也。自阮孝緒《七錄》、《隋書・經籍志》皆立舊事一類。至兩《唐志》，始改標故事。《通志・藝文志》、《宋志》、《明志》皆因之。惟《直齋書錄解題》易名典故耳。謂前代掌故，悉錄於此也。

《隋志》載《漢武故事》，濫及稗官；《唐志》載《魏文貞故事》，橫牽家傳。循名誤列，義例殊乖。

《隋書·經籍志》及兩《唐志》均有《漢武故事》二卷，不著撰人姓名。《宋史·藝文志》始題班固《漢武故事》五卷。晁公武《讀書志》引張柬之〈洞冥記跋〉，謂出於王儉。所言多與《史記》、《漢書》相出入，乃稗官瑣記一流。《唐志》有張大業《魏文貞故事》八卷，亦由家傳之文敷衍而成。二書雖同標故事之名，殊不符故事之體也。

今總核遺文，惟以國政朝章，六官所職者入於斯類，以符《周官》故府之遺。至儀注條格，舊皆別出。然均爲成憲，義可同歸。惟我皇上制作日新，垂模冊府。業已恭登新笈，未可仍襲舊名。考錢溥《秘閣書目》，有政書一類。謹據以標目，見綜括古今之意焉。

《四庫總目》著錄此類之書，惟以有關朝章國政者爲主，是也。一類之中，又分細目：首曰通制，《通典》、《通考》以及歷代會要屬之；次曰典禮，《漢官舊儀》、《大唐開元禮》、《大金集禮》、《明集禮》之類屬之；再次曰邦計，《救荒活民書》、《康濟錄》、《荒政叢書》之類屬之；此外尚有軍政、法令、考工諸目，以分統專門之書，可云詳備。顧遵用明人錢溥《秘閣書目》例總題政書，意猶未顯。吾則以爲不如創立制度一目以代之，較爲允當。且「政書」二字，所該至廣，如誠循名求實，則《資治通鑑》、《經世文編》之類，何一不可納之政書乎？況史部職官類之後，即繼之以制度類，依事相承，密近無間。禮以義起，不必全襲前人也。

目錄類敘

鄭玄有《三禮目錄》一卷，此名所昉也。

目錄二字連稱，實起於西漢。《漢書・敘傳》云：「劉向司籍，九流以別，爰著目錄，略序洪烈。」《文選》任昉〈爲范始興求立太宰碑表注〉引《七略》云：「《尚書》有青絲編目錄。」是劉向、劉歆校書漢成帝時，已有「目錄」之名，遠在鄭玄《三禮目錄》之前。特爲專書目錄，自鄭氏始耳。

其有解題，胡應麟《經義會通》謂始於唐之李肇。案《漢書》錄《七略》

書名不過一卷，而劉氏《七略別錄》至二十卷，此非有解題而何？《隋志》曰：「劉向《別錄》、劉歆《七略》，剖析條流，各有其序，推尋事蹟。自是以後，不能辨其流別，但記書名而已。其文甚明，應麟誤也。

明人胡應麟，字元瑞，學問博洽。所著《經義會通》，在《少室山房筆叢》中，持論多通，而不能無誤。《四庫總目敘》駁正其說之不合者，義據簡當，確不可易。

今所傳者，以《崇文總目》爲古。晁公武、趙希弁、陳振孫，並準爲撰述之式。惟鄭樵作《通志．藝文略》，始無所詮釋，併建議廢《崇文總目》之解題。而尤袤《遂初堂書目》因之，自是以後，遂兩體並行。今亦兼收，以資考核。金石之文，《隋、唐志》附小學，《宋志》乃附目錄。今用《宋志》之例，並列此門。而別爲子目，不使與經籍相淆焉。

簿錄羣書，必賴有解題而後可考鏡得失，夫人而知之矣。論者咸以《崇文總目》之刪去序釋，出於鄭樵，相與譏短而嫉恨之，此則不明乎簿錄體例之過也。無論《崇文總目》之無序釋，與鄭氏不相涉，即書目下不錄解題，其例實創於班固。蓋史志之不同於朝廷官簿與私家書目，亦即在此，尤不可不明辨也。《隋書‧經籍志》既舉劉向《別錄》、劉歆《七略》以別於後世但記書名一派，從知不獨《別錄》每書皆有敘錄，即《七略》亦必刪繁存簡，各爲解題，如《四庫簡明目錄》之於《提要》無疑耳。觀後人援引《七略》，每多考論學術之言，蓋其原本如此也。且《漢志》所錄之書，每增多於《七略》，而爲書祇一卷，《隋志》著錄《七略》單本，爲書七卷，此非有解題而何？班氏撰〈藝文志〉時，所以毅然刪去《七略》解題而不顧者，誠以史之爲書，包羅甚廣，〈藝文〉特其一篇，勢不得不芟汰煩辭，但記書名而已。若夫朝庭官簿與私家書目，意在條別源流，考正得失。其所營爲，既爲專門之事；其所論述，則成專門之書；考釋務致其詳，亦勢所能爲。劉，班二家編目之職志既有不同，則體例亦無由強合。鄭氏《通志‧藝文略》之於《崇文總目》，亦猶班氏〈藝文志〉之於《七略》耳。惟鄭氏深明修史之不同於他書，故獨遵班例，不爲序釋，其識已卓，豈特不可譏詆已哉！

史評類敘

《春秋》筆削，議而不辨，其後《三傳》異詞。《史記》亦自爲〈序〉〈贊〉，以著本旨。而先黃老，後六經，退處士，進姦雄，班固復異議焉。此史論所以繁也。

《左傳》敘事，假「君子曰」以發抒是非褒貶之意，此即史論之祖。《史記》既有「太史公曰」以補記錄之遺，復於敘述之中間寓抑揚之論。班固以下史家效其體，固撰〈司馬遷傳贊〉，謂「其是非頗謬於聖人。論大道，則先黃老而後六經；序游俠，則退處士而進姦雄；述貨殖，則崇勢利而羞賤貧；此其所蔽也。」自是歷代史家，每述一事，傳一人，輒於篇末各繫以論。《史通・論贊篇》云：「夫論者，所以辨疑惑，釋凝滯。若愚智共了，固無俟商榷。丘明『君子曰』者，其義實在於斯。司馬遷始限以篇終，各書一論。必理有非要，則強生其文。史論之煩，實萌於此。」知幾斯論，達其本矣。

其中考辨史體，如劉知幾、倪思諸書，非博覽精思，不能成帙，故作者

差稀。

唐劉知幾撰《史通》二十卷，揚搉古今史傳，掎摭諸家利弊，持論甚高，在史學中爲創體。非有弘識卓見，不能成此一書。《四庫提要》稱其「縷析條分，如別黑白，一經抉摘，雖馬遷、班固，幾無詞以自解免。亦可云載筆之法家，著書之監史。」非溢美也。若宋倪思所爲《班馬異同》三十五卷，乃在考校《史記》、《漢書》字句異同，以定得失。其例以《史記》本文大書。凡《史記》所無而《漢書》所加者，則以細字書之；《史記》有而《漢書》所刪者，則以墨筆勒字旁；或《漢書》移其先後者，則注曰《漢書》上連某文，下連某文；或《漢書》移入別篇者，則注曰《漢書》見某傳。二書互勘，長短自見。但有校對輯錄之勞，無深思自得之理。鈍學累功，自易成編。上衡劉氏《史通》，則淺深高下，固不可同日語。《四庫總目》乃取二書並論，非也。

至於品騭舊聞，抨彈往迹，則纔繙史略，即可成文。此是彼非，互滋簧鼓，故其書動至汗牛。

自來治史學者，重在求眞，不羼私見；文人則好弄筆墨，多發空論；此史家與文士之別也。歷兩宋以逮元、明，作者多矣，而可觀者甚罕。故著錄於《四庫總目》史評類之書祇二十二部，而存目之書，多至百部，可以覘其高下矣。

又文士立言，務求相勝。或至鑿空生義，僻謬不情。如胡寅《讀史管見》，譏晉元帝不復牛姓者，更往往而有。故瑕類叢生，亦惟此一類爲甚。

宋胡寅，字明仲，號致堂，崇安人，官至禮部侍郎。有《讀史管見》三十卷，乃其謫居時讀《資治通鑑》而作。其卷七有云：「魏明帝青龍三年，張掖柳谷口水涌，寶石負圖，有石馬七、及犧牛之象。謹案自司馬懿啓封於晉，傳至愍帝，適及七代，此石馬之數也。晉時又有牛繫馬後之謠。考之前史，載元帝之父爲小吏，牛其姓，與夏侯妃通而生元帝，不可誣也。然則元帝世系，殆類曹操，皆迷其本姓，姑以所承爲正耳。然曹操崛起，既不自知，則同父姓曹可也。元帝姓牛，而冒續晉宗，雖曰帝胄可榮，而僞姓之辱亦大矣。」此類論斷，全無佐證，肆爲臆必之談，固不足以服眾取信也。大抵其書持論深刻，王應麟《通鑑答問》多譏斥之。

我皇上綜括古今，折衷眾論，欽定《評鑑闡要》及《全韻詩》，昭示來茲。日月著明，爝火可息。百家譾語，原可無存。以古來著錄，舊有此門。擇其篤實近理者，酌錄數家，用備體裁云爾。

此四庫館臣頌揚主上之辭也。清高宗乾隆三十六年，由大學士劉統勳等編次《通鑑輯覽》中御批之語，凡七百九十八則，成書十二卷，名曰《評鑑闡要》。高宗又嘗依一百有六之全韻，按次排詠。上下平聲，書有清發祥東土及祖先創業垂統、繼志述事之宏規；上去入三聲，則舉唐虞以迄有明，歷代帝王之得失法戒，與《通鑑輯覽》相表裏，而簡約過之。書凡五卷，《四庫》未著錄。

子部總敘

自六經以外，立說者皆子書也。

天地間用文字寫成之書籍，不外三大類：抒情，一也；紀實，二也；說理，三也。六經中三者皆備。《詩三百篇》，抒情之作也；《尚書》、《春秋》，紀實之編也，《易》之〈十翼〉，說理之文也。而《詩》、《書》、《春秋》、《禮》、《樂》，莫不有理存其間，故總六經之書，雖皆謂爲說理之文，亦無不可。其後百家競興，悉主於闡明事物之理。故曰：自六經以外，立說者皆子書也。子者，男子之通稱；又爲稱所尊敬者之詞。故孔門弟子撰集仲尼言論以成《論語》，恆稱其師爲子。周秦百家之書，不皆親自撰述，多由門人後學錄其言行，綴輯成書，故名其書曰某子。統百家而爲言，則稱諸子；名其撰述，則稱子書。

其初亦相淆，自《七略》區而別之，名品乃定；其初亦相軋，自董仲舒別而白之，醇駁乃分。

《漢書・藝文志》中之諸子略，即本之劉歆《七略》，區分諸子爲儒、道、陰陽、法、名、墨、縱橫、雜、農、小說等十家。在此以前，司馬談〈論六家要指〉，已分諸子爲陰陽、儒、墨、法、名、道等六家。諸子分家，始於此也。《漢書・董仲舒傳》稱「仲舒對策，推明孔氏，抑黜百家。」仲舒以爲「今師異道，人異論，百家殊方，旨意不同，是以上無以持一統。」因提出具體辦法：「以爲不在六藝之科，孔子之術者，皆絕其道勿使並進，然後統紀可一，而法度可明。」漢武帝時表章儒術，罷黜百家之政策得以實行，自以董氏鼓吹之力爲多。

其中或佚不傳，或傳而後莫爲繼，或古無其目而今增，古各爲類而今合。

諸子百家之書佚而不傳，傳而後莫爲繼者，見於《漢書・藝文志》、《隋書・經籍志》，至爲繁夥，不煩悉數也。至於古無其目而今增者，如《漢志》止有道家而無釋家，今《四庫總目》依阮孝緒《七錄》別增釋家者是也。古各爲類而今合者，如《鬻子》一卷、《鶡冠子》三卷，《漢志》皆入道家；《尹文子》一卷、《公孫龍子》三卷、《漢志》皆入名家；《墨子》十五卷，《漢志》入墨家；《愼子》一卷，《漢志》入法家；《鬼谷子》一卷，《隋志》入縱横家；是皆古各爲類，今《四庫總目》均併入雜家者是也。

大都篇帙繁富，可以自爲部分者，儒家以外，有兵家，有法家，有農家，有醫家，有天文算法，有術數，有藝術，有譜錄，有雜家，有類書，有小說家。其別教則有釋家，有道家。敘而次之，凡十四類。

《四庫總目》參考歷代史志，私家簿錄，增損而分合之，釐定子部爲十四類，斟酌去取之際，信爲周備。《隋志》分子部爲儒、道、法、名、墨、縱横、雜、農、小說、兵、天文、曆數、五行、醫方十四類。《四庫總目》惟合名、墨、縱横於雜家，天文、曆數併而爲一，易五行爲術數，新立者藝術、譜錄、類書、釋家四類耳。

儒家尚矣，有文事者有武備，故次之以兵家。兵，刑類也。唐虞無皋陶，則寇賊姦宄無所禁，必不能風動時雍，故次以法家。民，國之本也；穀，民之本也；故次以農家。本草經方，技術之事也，而生死繫焉。神農、黃帝，以聖人爲天子，尚親治之，故次以醫家。重民事者先授時，授時本測候，測候本積數，故次之以天文算法。以上六家，皆治世者所有事也。百家方技，或有益，或無益，而其說久行，理難竟廢，故次以術數。遊藝亦學問之餘事，一技入神，器或寓道，故次以藝術。以上二家，皆小道之可觀者也。《詩》取多識，《易》稱制器，博聞有取，利用攸資，故次以譜錄。群言歧出，不名一類，總爲薈萃，皆可採摭菁英，故次以雜家。隸事分類，亦雜言也，舊附於子部，今從其例，故次以類書。稗官所述，其事末矣，用廣見聞，愈於博奕，故次以小說家。以上四家，皆旁資參考者也。二氏，外學也，故次以釋家道家終焉。

此承上文續申十四類敘次先後之意也。《紀文達公文集》卷八，《濟眾新編·序》云：「余校錄《四庫全書》，子部凡分十四家。儒家第一，兵家第二，法家第三。所謂禮、樂、兵，刑，國之大柄也。農家、醫家，舊史多退之於末簡，余獨以農居四，而其五爲醫家。農者，民命之所關；醫雖一技，亦民命之所關；故升諸他藝術上也。」可知紀氏於此諸類敘次先後之際，考慮至爲審密矣。

夫學者研理於經，可以正天下之是非；徵事於史，可以明古今之成敗；餘皆雜學也。然儒家本六藝之支流，雖其間依附草木，不能免門户之私；而數大儒明道立言，炳然具在；要可與經史旁參。其餘雖眞僞相雜，醇疵互見；然凡能自名一家者，必有一節之足以自立。其有不合於聖人者，存之亦可爲鑒戒。雖有絲麻，無棄菅蒯；狂夫之言，聖人擇焉；在博收而愼取之爾。

此言經史乃學問根柢，儒家固可與經史旁參。其他諸家，亦各有攸長，不能盡廢也。《四庫總目》卷一百三十六，〈子史精華·提要〉有云：「四庫之中，惟子史最爲浩博，亦最爲蕪雜。蓋紀傳、編年以外，凡稗官野記，皆得自託於史；儒家以外，凡異學方技，皆得自命爲子。學者雖病其冗濫，而資考證、廣學問者，又錯出其中，不能竟廢，卷帙所以日繁也。」明乎斯旨，而能博收愼取，庶可以通萬方之略矣。

儒家類敘

古之儒者，立身行己，誦法先王，務以通經致用而已，無敢自命聖賢者。王通教授河汾，始摹擬尼山，遞相標榜，此亦世變之漸矣。

《舊唐書·隱逸傳》：「王績，字無功，絳州龍門人。兄通，字仲淹，隋大業中名儒，號文中子，自有傳。」此云「自有傳」，而實無之。《唐書·隱逸傳》，亦附見於〈王績傳〉云：「兄通，隋末大儒也。聚徒河汾間，倣古作《六經》，又爲《中說》以擬《論語》，不爲諸儒稱道，故書不顯。惟《中說》獨傳。」此亦載其行事，簡略甚矣。世傳通作《禮論》、《樂論》、《續書》、《續詩》、《玄經》、《贊易》，謂之《王氏六經》。《六經》早亡，惟《中說》猶存。論者於其人、其書、其學，多致疑議。如此一代大儒，何以史無其傳，一也；書中所稱朋友門人，皆隋唐之際將相名臣，何以無一人語及通名，二也；聚徒講學河汾，從之游者甚眾，何以無一人紹述其學，三也。有此三故，而尊信之者不多矣。顧摹擬尼山之語言以著書者，自揚雄始；摹擬尼山之事蹟以自飾者，則自通始；皆所謂食古不化也。學者於此，自可置而勿論耳。

迨托克托等修《宋史》，以道學、儒林分為兩傳。而當時所謂道學者，又自分二派，筆舌交攻。自時厥後，天下惟朱、陸是爭。門户別而朋黨起，恩讎報復，蔓延者垂數百年。明之末葉，其禍遂及於宗社。惟好名好勝之私心，不能自克，故相激而至是也。聖門設教之意，其果若是乎？

南宋朱熹、陸九淵同時講學，朱主敬，陸主靜；朱重在道問學，陸重在尊德性。明王守仁尊陸學，遂併稱陸王，以與程朱對壘。有明一代，王學為盛。萬曆間無錫顧憲成與高攀龍重修宋楊時東林書院，講學其中，聲氣甚張。迨天啓五年十二月朔，魏忠賢發東林黨人榜，矯旨頒示天下，禁錮東林。生者削籍，死者追奪。一時黨禍大興，誅斥殆盡。崇禎初，忠賢伏誅，東林復盛。而閹黨餘孽未盡，水火交爭。彼此報復，糾紛不定，直至明亡而後已。明亡後，福王南渡。史可法〈請禁門戶疏〉云：「溯流窮源，固致恨於諸臣。諸臣誤國之事非一，而門戶二字，實為禍首。從門戶生畛域，從畛域生恩怨，從恩怨生攻擊，而線索淵源之計愈巧，而君子小人之辨愈淆。先儒謂纖私繫胸，萬物倒置，所以《春秋》之始，首嚴朋黨之誅；而門戶之名，竟結燕都之局。」史氏此論，不啻痛哭流涕陳辭，而爲時固已晚矣。紀昀《閱微草堂筆記·姑妄聽之》有云：「道學與聖賢，各一事也。聖賢依於中庸，以實心厲實行，以實學求實用。道學則務語精微，先理氣，後彝倫；尊性命，薄事功；其用意已稍別。聖賢之於人，有是非心，無彼我心；有誘導心，無苛刻心。道學則各立門戶，不能不爭；既相爭，不能不巧詆以求勝。以是意見，生種種作用，遂不可盡令孔、孟見矣。」紀氏斯言，足以發明《四庫總目敘》之意也。

今所錄者，大旨以濂、洛、關、閩爲宗。而依附門牆，藉詞衛道者，則僅存其目。

濂、洛、關、閩，謂濂溪周敦頤，洛陽程顥、程頤，關中張載，閩中朱熹也。朱熹生於南宋，較周、張、二程所處之時爲最晚，服膺四先生之言爲最篤，觀其纂周、張、二程之精語以成《近思錄》而可知也。自今觀之，雖謂爲集周、張、二程理學之成，亦無不可。故但言尊朱，而周、張、二程之學，在其中矣。清初帝王尊崇朱學，自康熙始。昭槤《嘯亭雜錄》云：「仁皇夙好程朱，深明性理。雖宿儒耆學，莫能窺測。嘗出《理學眞僞論》，以試詞臣；又刊定《性理大全》、《朱子全書》等書。特命朱子昇祀十哲之列。故當時宋學昌明，世多醇儒，非後世所能及也。」朱子之配祀十哲，見康熙五十一年《東華錄》。上有好者，下必有甚焉者。於是終清之世，言理學者多尊朱。《四庫總目》儒家所錄，大旨以濂、洛、關、閩爲宗，亦上承朝廷之旨意，下應一時之風尚耳。

金谿、姚江之派，亦不廢所長。惟顯然以佛語解經者，則斥入雜家。

金谿、姚江，謂陸王也；陸九淵爲江西之金谿縣人，王守仁爲浙江之餘姚縣人，故以名焉。兩家論學之旨，雖與程、朱不同，而義各有當，不容全黜。《四庫總目》不廢所長，所以協其平也。其以佛語解經者，如唐羅隱撰《兩同書》二卷，南唐譚峭撰《化書》六卷，宋晁迥撰《昭德新編》三卷，明高拱撰《本語》六卷，皆出入於黃老，或參以佛氏，而附合於儒言，《四庫總目》則悉著錄於雜家焉。

凡以風示儒者，無植黨，無近名，無大言而不慚，無空談而鮮用，則庶幾孔、孟之正傳矣。

樹黨、爭名、好大言，喜空談，此宋明以來儒學之沉痼也。《四庫總目敘》揭示數語，可謂對症下藥矣。

兵家類敘

《史記·穰苴列傳》，稱齊威王使大夫追論古者司馬兵法，是古有兵法之明證。

《史記·司馬穰苴列傳》：「司馬穰苴者，田完之苗裔也。齊景公時，晉伐阿甄，而燕侵河上，齊師敗績，景公患之，晏嬰乃薦田穰苴曰：「穰苴雖田氏庶孼，然其人文能附眾，武能威敵，願君試之。」景公召穰苴，與語兵事，大說之，以為將軍。將兵扞燕晉之師。（中略）晉師聞之，為罷去；燕師聞之，度水而解。於是追擊之，遂取所亡封內故境，而引兵歸。未至國，釋兵旅，解約束，誓盟而後入邑。景公與諸大夫郊迎勞師，成禮，然後反歸寢。既見穰苴，尊為大司馬。田氏日以益尊於齊，已而大夫鮑氏、高、國之屬害之，譖於景公，景公退穰苴，苴發疾而死。田乞、田豹之徒，由此怨高、國等。其後及田常殺簡公，盡滅高子、國子之族。至常曾孫和，因自立爲齊威王。用兵行威，大放穰苴之法，而諸侯朝齊。齊威王使大夫追論古者司馬兵法，而附穰苴於其中，因號曰《司馬穰苴兵法》。」太史公曰：「余讀《司馬兵法》，閎廓深遠。雖三代征伐，未能竟其義。如其文也，亦少褒矣。若夫穰苴區區爲小國行師，何暇及《司馬兵法》之揖讓乎？世既多《司馬兵法》，以故不論。」蓋其書在兩漢之世猶盛行，故鄭注《中庸》「索隱行怪」，引《司馬法》文。《七略》本列此書在兵書權謀家，《漢書·藝文志》著錄《軍禮司馬法》百五十五篇於六藝略禮類。則以其中所言，據道依德，本仁祖義，多與周禮相出入，故班氏出彼入此也。《隋志·兵家》有《司馬法》三卷，《四庫總目》著錄一卷，散亡脫佚甚矣。

> 然風后以下，皆出依託。其間孤虛王相之說，雜以陰陽五行，風雲氣色之說，又雜以占候。故兵家恆與術數相出入，術數亦恆與兵家相出入，要非古兵法也。

風后，相傳爲黃帝時人。舊說黃帝遇諸海隅，舉以爲相。見《帝王世紀》及《通鑑前編》。《漢書·藝文志·兵書略》陰陽家著錄《風后》十三篇。班氏自注云：「黃帝臣。依託也。」

孤虛，乃古代占卜推算日時之法。天干爲日，地支爲辰。日辰不全爲孤虛，又稱空亡。占卜時得孤虛，主事不成。《史記·龜策傳》：「日辰不全，故有孤虛。」裴駰《集解》云：「甲乙謂之日，子丑謂之辰。《六甲孤虛法》：『甲子旬中無戊亥，戊亥即爲孤，辰巳即爲虛。甲戌旬中無申酉，申酉爲孤，寅卯即爲虛。』」《漢書·藝文志·數術略》五行家著錄《風后孤虛》二十卷，亦依託，早亡。《孟子·公孫丑下》：「天時不如地利。」趙《注》云：「天時謂時日支干五行王相孤虛之屬也。」孫奭《音義》云：「王、相並去聲。」《疏》云：「時日支干者，子、丑、寅、卯、辰、巳、午、未、申、酉、戌、亥，是爲支；甲、乙、丙、丁、戊、己、庚、辛、壬、癸，是爲干。干支，所以配時日而用之也。五行，金、木、水、火、土，是也。金旺在巳、午、未、申、酉；木旺在亥、子、丑、寅、卯；水旺在申、酉、戌、亥、子；火旺在寅、卯、辰、巳、午；土旺在申、酉、戌、亥。蓋孤虛之法，以一晝爲孤，無晝爲虛，二晝爲實。以六十甲子日定東西南北四方，然後占其孤虛實而向背之，即知吉凶矣。」王、相既並讀去聲，故其字亦作旺相。

其最古者。當以《孫子》、《吳子》、《司馬法》爲本。大抵生聚訓練之術，權謀運用之宜而已。

《史記·孫子吳起列傳》：「孫子武者，齊人也。以兵法見於吳王闔廬，闔廬曰：『子之十三篇，吾盡觀之矣。』（中略）於是闔廬知孫子能用兵，卒以爲將。西破彊楚，入郢。北威齊、晉，顯名諸侯，孫子與有力焉。」「吳起者，衛人也。好用兵。嘗學於曾子，事魯君。魯卒以爲將，將而攻齊，大破之。後之魏，魏文侯以爲將，擊秦，拔五城。吳起懼得罪，遂去，即之楚。楚悼王素聞起賢，至則相楚。明法審令，捐不急之官，廢公族疏遠者，以撫養戰鬥之士，要在彊兵，破馳說之言從橫者。於是南平百越，北并陳、蔡，卻三晉，西伐秦，諸侯患楚之彊。」傳文甚長，茲節取其辭而聯貫之。可知孫吳兵法，皆以戰伐攻取，威震鄰邦。見諸行事，不必播之口說。其所著書，蓋皆與之共事或歆慕其學者之所爲。二人躬歷戰陣，未必有暇著書也。司馬遷曰：「世俗所稱師旅，皆道《孫子》十三篇，吳起兵法，世多有，故弗論。」而《韓非子・五蠹篇》曰：「藏孫吳之書者家有之。」是二家之書，遠在戰國時，即爲世所重矣。《漢書・藝文志・兵書略》著錄《吳孫子兵法》八十二篇；《吳起》四十八篇。則其書傳至後世，散佚已多。

今所採錄，惟以論兵爲主。其餘雜說，悉別存目。古來僞本流傳既久者，詞不害理，亦併存以備一家。明季遊士撰述，尤爲猥雜。惟擇其著有明效，如戚繼光《練兵紀實》之類者列於篇。

自來兵家之書，與術數相出入，而僞託之籍乃益多。大抵宋以來談兵之書，多託於諸葛亮；明以來術數之書，多託於劉基；此遊士撰述之所以猥雜也。明人於僞託之外，又好杜撰名目，以惑流俗。如太倉曹允儒，有《握機經》三卷，《握機緯》十五卷。首載風后、太公望、李衛公問對等遺文，並繪衡衝，風雲諸陣圖爲《握機經》；次取《孫子》十三篇，《吳子》六篇爲《握機緯》。自標經緯，已足駭世，非兵家正軌也。明人惟戚繼光以名將爲國立功，於練兵尤著實效。著有《練兵實紀》九卷，《雜集》六卷；《紀效新書》十八卷。大抵重視士卒之訓練，精益求精，故於守邊防海，皆建奇勳。觀其所著《練兵實紀》，一、練伍法；二、練膽氣；三、練耳目；四、練手足；五、練營陣；六、練將。可知其講求兵法。悉著重於訓練實功，不曾摭取韜略常談。兵家所尙，皆見於此矣。戚氏下世，而託名以造僞書者踵起，如《長子心鈐》、《武備新書》之屬，舊本皆題戚繼光撰，蓋皆慕其盛名者所爲耳。

法家類敘

刑名之學，起於周季，其術爲盛世所不取。然流覽遺篇，兼資法戒。觀於管仲諸家，可以知近功小利之隘；觀於商鞅、韓非諸家，可以知刻薄寡恩之非。鑒彼前車，即所以克端治本，曾鞏所謂不滅其籍，乃善於放絕者歟！

此儒家正統之見，未足以爲定論也。諸子之言，皆主經世。各有所偏，亦有所長。苟能取其長而不溺其偏，自能相輔爲用，有益治理。曠觀歷代興亡，亦何嘗專任儒術足以致治者乎？昔漢元帝爲太子時，柔仁好儒。見宣帝所用多文法吏，以刑名繩下。嘗侍宴從容言：「陛下持刑太深，宜用儒生。」宣帝作色曰：「漢家自有制度，本以霸王道雜之。奈何純任德教，用周政乎？且俗儒不達時宜，好是非古今，使人眩於名實，不知所守，何足委任？」見《漢書·元帝紀》此言雖發於一時，而歷代帝王所以圖治者，莫非此道。若管仲、商鞅、韓非，皆古之大政治家也。其言治國之理，至明覈矣。吾嘗以爲載籍極博，而獨乏系統闡發政治理論之書。惟周秦法家於富國強民之道，生財教戰之方，以及黜華崇實、肅化明紀諸端，言之兢兢，自成體系。管仲以之治齊，商鞅以之治秦，雷厲風行，悉奏膚功。而秦皇之一統宇內，立邦治法，一遵韓非之說，此其尤大章明較著者也。後世若霍光、諸葛亮、王猛、魏徵、王安石、張居正之流，皆實本其學以治天下。立法施度，勇毅能斷，莫不有法家精神，是豈迂濶儒生所逮知哉！觀司馬談〈論六家要旨〉有曰：「法家嚴而少恩，然其正君臣上下之分，不可改也。」又曰：「法家不別親疏，不殊貴賤，一斷於法，則親親尊尊之恩絕矣，可以行一時之計，而不可常用也。故曰嚴而少恩；若尊主卑臣，明分職，不得相踰越，雖百家弗能改也。」可知西漢學者，已於法家之學，早有定評，何可一概抹殺乎？宋人曾鞏，於所撰《戰國策目錄・序》中所云：「君子之禁邪說也，固將明其說於天下，使當世之人皆知其說之不可從，然後以禁則齊；使後世之人皆知其說之不可爲，然後以戒則明；豈必滅其籍哉！放而絕之，莫善於是。」此乃憤世嫉邪，有爲而發，又不可持此以上論周秦法家之書。《四庫總目敘》竟比傳其說以擬議之，非也。

至於凝、㠓所編，和凝、和㠓父子相繼撰《疑獄集》。闡明疑獄；桂、吳所錄，桂萬榮、吳訥相續撰《棠陰比事》。矜愼祥刑。並義取持平，道資弼教。雖類從而錄，均隸法家；然立議不同，用心各異。於虞廷欽恤，亦屬有裨。是以仍準舊史，錄此一家焉。

五代時，和凝與其子㠓同撰《疑獄集》四卷。明張景又增一百八十二條，爲《補疑獄集》六卷。所記皆平反冤濫，抉摘姦慝之事。宋端平中，桂萬榮摭取凝、㠓父子所載事蹟，益以鄭克所撰《折獄龜鑑》，編爲《棠陰比事》一書。明景泰中，吳訥又刪補之。桂氏原書，比事屬詞，聯成七十二韻，仿唐李瀚《蒙求》

之體，括以四字韻語，便於記誦、而自爲之注，凡一百四十四條，皆古來剖析疑獄之事。吳訥以其徒拘聲韻對偶，而敘次無義，乃刪其不足爲法及相類複出者，存八十條。以事之大小爲先後，不復以叶韻相從，其注亦稍爲點竄，又爲補遺二十三事，附錄四事，別爲一卷。凝、㠓、桂、吳之書，所記雖不甚廣，然司憲者觸類旁通，足資啓發，於治獄不無裨益，故《四庫總目》悉著錄之。

農家類敘

農家條目，至爲蕪雜。諸家著錄，大都輾轉旁牽。因耕而及《相牛經》，因《相牛經》及《相馬經》、《相鶴經》、《鷹經》、《蟹錄》，至於《相貝經》。而《香譜》、《錢譜》相隨入矣。因五穀而及《圃史》，因《圃史》而及《竹譜》、《荔支譜》、《橘譜》，至於《梅譜》、《菊譜》，而《唐昌玉蕊辨證》、《揚州瓊花譜》，相隨入矣。因蠶桑而及《茶經》，因《茶經》而及《酒史》、《糖霜譜》，至於《蔬食譜》，而《易牙遺意》、《飲膳正要》相隨入矣。觸類蔓延，將因四民月令，而及算術天文；因田家五行，而及風角鳥占；因《救荒本草》而及《素問》、《靈樞》乎？

《漢書·藝文志·諸子略》農家，惟錄神農、野老、宰氏、董安國、尹都尉、趙氏、氾勝之、蔡葵九家之書。凡農家書之主占候者，悉入數術略雜占類，如《神農教田相土耕種》十四卷，《昭明子釣種生魚鼈》八卷，《種樹臧果相蠶》十三卷，皆是也。至於《相人》二十四卷，《相六畜》三十八卷，則入形法類。《隋書·經籍志·子部》農家，亦惟錄農書五部，而《相手板經》、《相馬經》之屬，悉入五行。是漢、隋兩志，敘次農書，仍歸嚴謹，不爲蕪雜也。至《舊唐書·經籍志》農家類，始錄《竹譜》、《錢譜》、《鷹經》、《蠶經》、《相鶴經》，《相馬經》、《相牛經》、《相貝經》、《養魚經》之屬。《唐書·藝文志》因之，至《宋史·藝文志》乃益冗濫矣。他若《通志·藝文略》、《文獻通考·經籍志》，亦沿其例，名目繁多，不煩悉數也。《四庫總目》於此類書，則皆著錄於譜錄類或收入存目矣。

自蒙古貴族入主華夏，生活習慣，皆與中土不同。深恐飲食之物，不辨性能功用及烹調之法，或致中毒以害身體，故於日常食物，至爲講求。元世祖時，設掌飲膳太醫四人，於《本草》內，選無毒，無相反，可常食，於養生有補益者，條列而日進之。延祐間，和斯輝（他書亦作忽思慧）官飲膳太醫，因撰爲《飲膳正要》三卷。其書注重衞生，與其他食譜不同，惟列神仙服食一門，則詞多荒誕耳。其後韓奕，仿食經之遺，亦成《易牙遺意》二卷。上卷爲醞造、脯鮓、蔬菜三類；下卷爲籠造、爐造、糕餅、湯餅、齋食、果實、諸湯、諸藥八類。此二書皆爲當時豪貴之家所珍，非平民所常用也。

風角、鳥占，謂古代陰陽占候之術也。《後漢書・郎顗傳》：「父宗，學京氏《易》，善風角星算。」注云：「風角，謂候四方四隅之風，以占吉凶也。」考《隋書・經籍志》及兩唐志所錄有關風角之書甚夥，（在五行類）。知唐以上人通其術者猶多也。《唐書・李靖傳贊》：「世言靖精風角、鳥占、雲祲、孤虛之術，爲善用兵。」所謂鳥占，亦云鳥卜。《隋書・西域傳》：「女國在葱嶺南，俗事阿修羅神，又有樹神。歲初以人祭，或用獼猴。祭畢，入山祝之，有一鳥如雌雉來集掌上，破其腹而視之，有粟則年豐，沙石則有災，謂之鳥卜。」《唐書·西域傳》所載，與此大同小異，亦古代占候之異俗也。

明朱橚嘗撰《救荒本草》八卷。橚爲太祖第五子，好學，以庶草蕃蕪，考核其中可救饑饉者四百餘種，繪圖而成此書。其見諸舊《本草》者，一百三十八種，新增者二百七十六種。皆詳核可據，有裨實用。《素問》爲我國醫學之最古者，記黃帝與歧伯問答之語，其書雖不出於上古，然亦周秦間人傳述舊聞，非漢以後人所能爲也。《靈樞》乃古醫書之論鍼灸者，與《素問》通號《內經》。

今逐類汰除，惟存本業。用以見重農貴粟，其道至大，其義至深，庶幾不失〈豳風〉、〈無逸〉之初旨。茶事一類，與農家稍近。然龍團鳳餅之製，銀匙玉盌之華，終非耕織者所事，今亦別入譜錄類，明不以末先本也。

《四庫總目》卷一百二，《欽定授時通考提要》云：「昔周公作書，以無逸爲永年之本。而所謂無逸，在先知稼穡之艱難。故重農貴粟，治天下之本也。《管子》、《呂覽》所陳種植之法，並文句典奧，與其他篇不類。蓋古者必有專書，故諸子得引之，今已佚不可見矣。劉向《七略》，綜別九流，以農家自爲一類，其書亦無一存。今所傳者，以賈思勰《齊民要術》爲最古。而名物訓詁，通儒或不盡解，無論耕夫織婦也。沿而作者，不可殫數。惟王楨、徐光啓書爲最著，而疏漏冗雜，亦不免焉。」《提要》此論，於古者重農貴粟之意，以及農書之源流，簡括能盡，可補〈農家類敘〉之闕遺，學者宜參究焉。元人王楨所撰《農書》二十二卷，明徐光啓所撰《農政全書》六十卷，皆援據賅洽，內容詳贍。雖亦不免疏漏冗雜，然固考證古代農學者所不能廢也。

醫家類敘

儒之門戶分於宋，醫之門戶分於金、元。觀元好問《傷寒會要・序》，知河間之學，與易水之學爭；觀戴良作〈朱震亨傳〉，知丹溪之學，與宣和局方之學爭也。

金之醫家劉完素，河間人。故言醫者皆稱爲河間。其大旨多主於寒涼降火，宋以後特開一派。同時有張元素，易州人。精通醫術，嘗治劉完素傷寒病得愈，而名益顯。造詣深邃，自成一家，故稱之曰易水。元好問《遺山文集·傷寒會要·引》云：「往予在京師，聞鎮人李杲明之有國醫之目，而未之識也。後明之與余同出汴梁，於聊城，於東平，與之遊者六年。於今然後得其所以爲國醫者爲詳。明之幼歲好醫藥，時易州人張元素以醫名燕趙間，明之捐千金從之學，不數年盡得其業。大概其學如傷寒氣疽眼目病爲尤長。傷寒則著《會要》三十餘萬言，《會要》頗與劉完素相出入。」是劉、張兩家之學，已有不盡同者矣。元之醫家朱震亨，別號丹溪生，以醫名世，爲醫家之一派。自宋徽宗時，詔天下高醫奏進藥方，由宣和太醫局裒集爲宣和局方，後之治疾者多因之，而朱氏處方，不必與之合也。時人戴良《九靈山房集·丹溪翁傳》云：「丹溪翁者，婺之義烏人也。姓朱氏，諱震亨，字彥修，學者尊之曰丹溪翁。翁自幼好學，日記千言，又精於醫，得劉完素之再傳，而旁通張從正、李杲二家之說。一日，門人趙良臣問太極之旨，翁以陰陽造化之精微，與醫道相出入者論之。且曰：吾於諸生之中，未嘗論至於此。今以吾子所問，故偶及之。是蓋以道相告，非徒以醫言也。趙出，語人曰：翁之醫殆槖籥于此乎！羅成之自金陵來見，自以爲精仲景學。翁曰：仲景之書，收拾于殘篇斷簡之餘，然其間或文有不備，或意有未盡，或編次之脫落，或義例之乖舛。吾每觀之，不能以無疑。因略摘疑義數條以示，羅尚未悟。及遇治一疾，翁以陰虛發熱而用益陰補血之劑療之，不三日而愈。羅乃歎曰：以某之所見，未免作傷寒治。今翁治此，猶以芎歸之性辛溫，而非陰虛者所宜服，況汗下之誤乎？翁春秋既高，乃徇張翼等所請，而著《局方發揮》、《格致餘論》、《傷寒辨疑》、《本草衍義補遺》、《外科精要新論》諸書，學者多誦習而取則焉。」當時方盛行陳師文、裴宗元所定大觀三百九十七方，奉爲圭臬，朱氏獨不泥於其書，以爲操古方以治今病，其勢不能以盡合。戛戛獨造，自成一家。

然儒有定理，而醫無定方。病情萬變，難守一宗。故今所收錄，兼眾說焉。

疾病之起，非由一端；其間變化，萬有不齊。北人質而剛，南人文而弱，此地域之異也，北地燥而多風，南地濕而多雨，此氣候之殊也；少壯氣血方剛，衰暮精力日退，此年事之差也；春時有痟首疾，夏時有痒疥疾，秋時有瘧寒疾，冬時有漱上氣疾，此寒暑之乖也。爲之醫者，自宜因其不同而爲之方以治之。何可拘泥不變之方，以療多變之疾。貴在捨短取長，觀其會通，因病投藥，而不局於一先生之言也。《漢書．藝文志》論及諸子，有曰：「其言雖殊，辟猶水火相滅亦相生也。仁之與義，敬之與和，相反而皆相成也。」此言有識，亦足以上概醫家衆說。《四庫總目》敘錄醫書，兼收並采，是矣。

明制定醫院十三科，頗爲繁碎。而諸家所著，往往以一書兼數科，分隸爲難。今通以時代爲次。

《明史．職官志》：太醫院掌醫療之法。凡醫術十三科，醫官、醫生、醫士，專科肄業。曰、大方脈，曰、小方脈，曰、婦人，曰、瘡瘍。曰、鍼灸，曰、眼，曰、口齒，曰、接骨，曰、傷寒，曰、咽喉，曰、金鏃，曰、按摩，曰、祝由。凡醫家子弟，擇師而教之。三年五年，一試、再試、三試，乃黜陟之。」此方技分工之法也。以言肄業，則分工惟恐不專，愈專則所造愈精。若夫成家之著述，則所涉彌廣，兼及多門，不容以專科限矣。《四庫總目》通以時代先後爲次而綜錄之，亦一法也。

《漢志》醫經、經方二家後，有房中神仙二家，後人誤讀爲一。故服餌導引，歧途頗雜，今悉刪除。

《漢書·藝文志·方技略》著錄醫經七家，二百一十六卷；經方十一家，二百七十四卷。繼之以房中八家，百八十六卷；神仙十家，二百五卷。古之神仙家，講求服餌、導引之術以求長生。服餌、謂服食丹藥也；導引、謂呼吸俯仰、屈伸手足，使氣血流通，體能輕舉也。至於房中之術，《論衡·命義篇》已云：「素女對黃帝陳五女之法，非徒傷父母之身，乃又賊男女之性。」是漢人即深斥之矣。故《漢志》所錄之書雖多，而亡佚甚早。《隋志》以下，雖亦間有其書，傳者甚少。《四庫總目》悉爲刪除，是已。

《周禮》有獸醫，《隋志》載《治馬經》等九家，雜列醫書間。今從其例，附錄此門，而退置於末簡，貴人賤物之義也。《太素脈法》，不關治療，今別入術數家，茲不著錄。

近世列邦，皆重視獸醫，紛紛設立獸醫學校以培育專才。而我國遠在《周禮》，即立獸醫專官，掌療獸病，療獸瘍。其見重於世早矣。獸畜之中，牛馬爲重，而馬之用尤廣，故《隋志》所載治馬之書爲多焉。《太素脈法》一卷，不著撰人名氏。其書以診脈辨人貴賤吉凶，所載皆七言歌括，至爲鄙淺，無涉治療，殆陰陽數術之士所爲以欺世者，故儒門鮮齒及之。

天文算法類敘

三代上之制作，類非後世所及。惟天文算法，則愈闡愈精。容成造術，顓頊立制，而測星紀閏，多述帝堯，在古初已修改漸密矣。

遠古歷法之興，多出於傳說，文獻無徵，莫可取信。舊稱容成爲黃帝之臣，顓頊乃黃帝之孫。《呂氏春秋・勿躬篇》已云：「容成作歷；」《漢志・數術略》著錄《顓頊歷》二十一卷，《顓頊五星歷》十四卷。劉師培《古歷管窺》云：《顓頊歷》及《夏歷》均從夏正。」又云：「秦及漢初，並用《顓頊歷》。」則所從來早矣。其最初見之經傳有明文可考者，《尚書・堯典》云：「乃命羲和，欽若昊天，歷象日月星辰，敬授民時。」又云：「帝曰：咨，汝羲暨和。期，三百有六旬有六日，以閏月定四時，成歲。」是至堯時，漸加密於荒遠之世矣。大抵此道古疏今密，後出日新，驗諸上世之事，既已昭然。《四庫總目敘》所謂愈闡愈精者，是也。

洛下閎以後，利瑪竇以前，變化不一。泰西晚出，頗異前規。門户搆爭，亦如講學。然分曹測驗，具有實徵。終不能指北爲南，移昏作曉。故攻新法者，至國初而漸解焉。

洛下閎、字長公，漢巴郡閬中人。明曉天文地理，隱居洛亭。武帝時，友人同縣譙隆薦閎待詔太史，更作《太初歷》。《漢書·律歷志》作落下閎。顏師古曰：「姓落下，名閎，巴郡人也。」利瑪竇乃意大利國教士。明萬曆八年航海至廣東，後入北京。通知天文算術，是爲西法入中國之始。彼通知中西之文，故凡所著書，皆華字華語，不煩譯釋。著有《乾坤體義》二卷。上卷皆言天象，下卷皆言算術，多前人所未發。雖篇帙無多，而詞簡意賅，故康熙時御製《數理精蘊》，多採其說而用之。當明季歷法乖舛之餘，泥古守舊者雖力爭其失，而所學不足以相勝。自徐光啓等改用新法，乃漸由疏入密，至清初而益爲推闡，始盡精微。良以新法所言，皆驗諸實測，不能以空言難之耳。

聖祖仁皇帝御製《數理精蘊》諸書，妙契天元，精研化本，於中西兩法，權衡歸一，垂範億年。海宇承流，遞相推衍。一時如梅文鼎等，測量撰述，亦具有成書。故言天者，至於本朝，更無疑義。今仰遵聖訓，考校諸家，存古法以溯其源，秉新製以究其變。古來疏密，釐然具矣。

康熙時所撰《數理精蘊》，凡五十三卷。通貫中西異同，辨訂古今長短。有清一代習算者，無不奉爲圭臬。其論借根方一法最詳，尤他書所罕見。天元，乃算術之一。其法本於古之九章方程，借「天元一」代未知之數，與後世借根方、代數術相似。宋秦九韶《數學九章》，元李冶《測圓海鏡》，皆以此演算。至明而其學失傳。清初借根方術由歐洲輸進，其理與天元相通，始稍稍闡明其法。乃知西洋借根方，即古之立天元術，於是其學復明於世。

梅文鼎，清初宣城人。字定九，又字勿庵。自少精研天文算法，至廢寢食，所著天算書數十種，即《梅氏叢書》。原名《勿庵曆算全書》，凡七十四卷。後由其孫㝅成重編，凡六十二卷。文鼎於天算爲絕學，而其所以超軼前人者，尤在能匯通中西，以求其是，而不專己守殘也。觀其所爲《中西算學通・自序》有曰：「古數學諸書僅存者，皆不爲文人所習。好古博覽之士，或僅能舉其名。數學之衰，至此而極。萬曆中，利氏入中國，始倡幾何之學。以點線面體爲測量之資，制器作圖，頗爲精密。學其學者，或張皇過甚，無暇深考乎中算之源流，輒以世傳淺術，謂古九章盡此，於是薄古法爲不足觀。而或者株守舊聞，遽斥西人爲異學。兩家之說，遂成隔礙。此亦學者之過也。余則以爲學問之道，求其通而已。吾之所不能通，而人則通之，又何間乎今古，何別乎中西。」此論至爲弘通，足以破深閉固拒故步自封之陋。其於承先啓後，溝通中西，厥功偉矣。

若夫占驗機祥，率多詭說。鄭當再火，裨竈先誣。舊史各自爲類，今亦別入之術數家。惟算術、天文，相爲表裏。《明史・藝文志》以算術入小學類，是古之算術，非今之算術也。今核其實，與天文類從焉。

裨竈、春秋鄭大夫，明天文占候之術。昭公十八年《左傳》：「夏五月，宋、衛、陳、鄭，皆火。裨竈曰：『不用吾言，鄭又將火。』鄭人請用之，子產不可。子大叔曰：『寶以保民也。若有火，國幾亡。可以救亡，子何愛焉？』子產曰：『天道遠，人道邇，非所及也，何以知之。竈焉知天道？是亦多言矣！豈不或信。』遂不與，亦不復火。」後世論及此事者，如宋神宗熙寧八年十月，彗出東方，詔求直言，及詢政事之未協於民者。王安石疏言：「天道遠，先王雖有官占，而所信者人事而已。裨竈言火而驗，欲禳之。國僑不聽。則曰：『不用吾言，鄭又將火。』僑終不聽，鄭亦不火。有如裨竈，未免妄誕。況今星工哉！」見《宋史·王安石傳》。可知占驗機祥之誣妄，自來有識之士，皆能洞燭其姦也。

算術天文，相爲表裏，自不應離而爲二。《四庫總目》卷一百七，天文算法類二，算書之屬案語云：「數爲六藝之一，百度之所取裁也。天下至精之藝，如律呂、推步，皆由是以窮要眇；而測量之術，尤可取資。故天文無不根算書。算書雖不言天文者，其法亦通於天文。二者恆相出入，蓋流別而源同。今不入小學，而次於天文之後，其事大，從所重也；不與天文合爲一，其用廣，又不限於一也。」此論簡要，足以申發《四庫總目類敘》末段之旨。

術數類敘

術數之興，多在秦漢以後。要其旨不出乎陰陽五行，生剋制化。實皆《易》之支派，傅以雜說耳。

《漢書・藝文志》有數術略，凡分六家：曰天文，曰曆譜，曰五行，曰蓍龜，曰雜占，曰形法。《四庫總目》術數類，大抵近之也。陰陽五行之說，所起甚早，不得謂秦漢以後始有之。因五行而求其變化，於是有相生相剋之說。生謂木生火，火生土，土生金，金生水，水生木也；剋謂木剋土，土剋水，水剋火，火剋金，金剋木也。循是推衍，而五德終始之說出焉。如秦以周爲火德，而己爲水德，漢又自以爲土德，足以相勝也。《漢志》論及古者數術之士，則謂「春秋時，魯有梓愼，鄭有裨竈，晉有卜偃，宋有子韋；六國時，楚有甘公，魏有石申夫；漢有唐都。」則秦漢以前，已有以數術馳名周末者矣。即秦始皇所尊信之盧生、侯生，亦當時之方士也，以其行騙詐而久不能致奇藥，大興阬殺之獄，《史記·儒林傳》稱之爲「阬術士」，乃實錄也。焉得謂術數之興，多在秦漢以後乎？

物生有象，象生有數，乘除推闡，務究造化之源者，是爲數學。

《春秋》僖公十五年《左傳》：「物生而後有象，象而後有滋，滋而後有數。」此處節取其辭，借用其義耳。昔人亦恆傅會《易》理，推究世間變化治亂，人事吉凶禍福，乘除消生，一主於數，故有數學之名。如《太玄經》、《元包》、《潛虛》、《皇極經世》諸書所言是也。

《四庫總目》卷一百八，術數類一，數學之屬案語云：「《太玄經》稱準《易》而作，其揲法用三十六策。王讜《唐語林》曰：『王相涯注《太玄》，嘗取以卜，自言所中多於《易》筮，則《太玄》亦占卜書也。』然自涯以外，諸儒所論，不過推其數之密，理之深耳。未聞用以占卜者，亦未有稱其可以定吉凶決疑惑者；即王充以下諸儒，遞有嗤點，亦未有詆以占卜無驗者；則仍一數學而已，故今仍隸之數學，不入占卜。《元包》、《潛虛》以下，亦以類附焉。《皇極經世》，雖亦《易》之餘緒，而實非作《易》之本義。諸家著錄，以出於邵子，遂列於儒家。然古之儒者，道德仁義，誦說先王；後之儒者，主敬存誠，闡明理學；均無以數爲宗之事，於義頗屬未安。夫著述各有體裁，學問亦各有派別。朱子《晦菴大全集》，皆六經之旨也，而既爲詩文，不得不列爲集；《通鑑綱目》，亦《春秋》之義也，而既爲編年，不得不列爲史；此體例也。《陰符經刊誤》、《參同契刊誤》，均朱子手著，而既爲黃老神仙之說，不得不列爲道家，此宗旨也。邵子既推數以著書，則列之術數，其亦更無疑義矣。」觀乎斯論，可悟簿錄群書，各歸其類之旨。

星土雲物，見於經典。流傳妖妄，寖失其眞。然不可謂古無其說，是爲占候。

《周禮·春官·保章氏》：「以星土辨九州之地。所封封域，皆有分星，以觀妖祥。以五雲之物，辨吉凶水旱降豐荒之祲象。」鄭注云：「物、色也，視日旁雲氣之色。降、下也，知水旱所下之國。」是望氣占候之事，於經傳有明文也。特後世衍其術者，變本加厲，流爲荒誕不經耳。

《四庫總目》卷一百八，術數類一，占候之屬案語云：「作《易》本以垂教，而流爲趨避禍福；占天本以授時，而流爲測驗災祥；皆末流遷變，失其本初。故占候之與天文，名一而實則二也。王者無時不敬天，不待示變而致修省；王者修德以迓福，亦不必先期以告符命。後世以占候爲天文，蓋非聖人之本意，《七略》分之，其識卓矣。此類本不足錄，以《靈臺秘苑》、《開元占經》，皆唐以前書，古籍之不存者，多賴其徵引以傳，故附收之。非通例也。」此論有識，可以補申〈敘〉文未盡之義。

自是以外，末流猥雜，不可殫名。史志總概以五行。今參驗古書，旁稽近法，析而別之者三：曰、相宅相墓；曰、占卜；曰、命書相書。併而合之者一：曰、陰陽五行。雜技術之有成書者，亦別爲一類附焉。

《四庫總目》卷一百九、術數類二、相宅相墓之屬案語云：「相宅相墓，自稱堪輿家。考《漢志》有《堪輿金匱》十四卷，列於五行。顏師古注引許慎曰：『堪、天道；輿、地道。』其文不甚明。而《史記·日者列傳》有『武帝聚會占家，問某日可娶婦否？堪輿家言不可」之文。《隋志》則作堪餘，亦皆日辰之書。則堪輿，占家也，又自稱爲形家。考《漢志》有《宮宅地形》二十卷，列於形法，其名稍近。然形法所列，兼相人相物，則非相宅相地之專名，亦屬假借。今題曰相宅相墓，用《隋志》之文，從其質也。」占卜之屬案語云：「《漢志》、《隋志》皆立蓍龜一門，此爲古法言之也。後世非惟龜卜廢，併蓍亦改爲錢卜矣。今於凡依託《易》義因數以觀吉凶者，統謂之占卜。」命書相書之屬案語云：「相人見《左傳》，《漢志》形法有《相人》二十四卷，人生時值星貴賤，見王充《論衡》；《隋志》有《雜元辰祿命》二卷，《溢河祿命》三卷，則其來已久，特書之傳於今者，大抵附會依託耳。謹擇其稍古與稍近理者錄存數家，以見梗概。其說亦本五行，故古與相宅相墓之屬，均合爲一。今別爲類，蓋命言前知，主於一定不可移，他術則皆言可趨避，其持論殊也。」陰陽五行之屬案語云：「五行休咎，見於〈洪範〉。蓋以徵人事之得失，而反求其本。非推測禍福，預爲趨避計也。後世寖失其初，遂爲術數之所託。《史記·日者列傳》載武帝聚占者論娶婦之日，有五行家、堪輿家、建除家、叢辰家、曆家、天文家、太乙家，凡七家。《漢志》併爲陰陽、五行二家；而兵家又出陰陽十六家。陰陽家所列諸書，不甚可考。《隋志》以下，並有五行而無陰陽，殆二家之理，本相出入，末流合而一之。習其技者，亦不能自分別矣。今總題曰陰陽五行，以存舊目，其書則略以類聚，不復瑣屑區分云。」參稽此數段文字，則於相宅相墓、占卜、命書相書，陰陽五行，四類書籍之源流演變，可以了然矣。

中惟數學一家，爲《易》外別傳，不切事而猶近理。其餘則皆百僞一眞，遞相煽動。必謂古無是說，亦無是理，固儒者之迂談；必謂今之術士，能得其傳，亦世俗之惑志。徒以冀福畏禍，今古同情。趨避之念一萌，方技者流，各乘其隙以中之。故悠謬之談，彌變彌夥耳。然眾志所趨，雖聖人有所弗能禁。其可通者存其理，其不可通者，姑存其說可也。

此言術數之士所以不絕於後世者，良由冀福畏禍，趨吉避凶之俗，仍世益甚，而術士得乘隙以起，挾其說以惑世也。徵之於古，先民所以諄諄垂教者，如曰：「積善之家，必有餘慶；積不善之家，必有餘殃；」此《易》教也。「作善，降之百祥；作不善，降之百殃；」此《書》教也。其語雖出僞古文《伊訓》，然實古訓也。「禍福無門，惟人所召。」此閔子馬之語也。見襄公二十三年《左傳》「天道無親，常與善人。」此老聃之言也。推之經傳子史，斯類言論至多，莫不重在修身飭行，自求多福；朝乾夕惕，必能免禍。何假乎術數推算，以圖趨避乎？故術數之書，名類雖繁，今悉歸諸迷信紀錄，置而不顧可也。

藝術類敘

古言六書，後明八法，於是字學書品爲二事。左圖右史，畫亦古義。丹青金碧，漸別爲賞鑑一途。衣裳製而纂組巧，飲食造而陸海陳，踵事增華，勢有馴致。然均與文史相出入，要爲藝事之首也。

六書，謂象形、指事、會意、形聲、轉注、假借也。相傳爲古代「造字之本」，其實此六類之名，乃由文字日益繁多之時，從其中抽出之通則，而非遠古預設此法以爲造字之準。王筠《說文釋例》所云：「六書之名，後賢所定，非古人先定此例而後造字。」是也。大抵我國文字，自小篆以上，尙可循六書之例以推求字義。由篆變隸，筆畫漸有增減；由隸而楷以及行、草，或爭字形之茂美，增畫無妨；或趨體勢之簡易，省筆是尚；于是六書之旨，不可復見於字形之中，而書法遂成爲藝術品矣。自隸、楷行世，書家矜言八法。八法者，側、勒、努、趯、策、掠、啄、磔也。點爲側，橫爲勒，豎爲努，挑爲趯，左上爲策，左下爲掠，右上爲啄，右下爲磔。一字而備八法者，惟「永」爲然，故世稱永字八法。相傳王羲之習書多載，十五年中偏攻永字，以其筆勢齊備，能通一切字也。畫之起原遠矣。六七千年前之彩色陶器從地下發掘者，即已畫有各種物形。降而至於漢之墓室壁畫，皆其前驅。歷代畫家繼起，至隋唐而臻極盛。大抵唐以上皆以寫實爲主，丹青金碧之功多；五代以來，始多文人寫意之作，而水墨山水爲尤盛。其間善畫者，亦兼擅書法，如元之趙孟頫，明之文徵明，皆其選也。此後治文史者，漸多兼以書畫名世，咸視爲儒林雅尚矣。自南齊謝赫撰《古畫品錄》，梁庾肩吾撰《書品》，陳姚最撰《續畫品》，于是品論書畫，至六朝時已有專書。至唐而畫史、書譜之屬，相繼以起；兩宋作者日繁，述造更廣。下逮明清，講求益精。故《四庫總目》於品論書畫之書，著錄最夥。有記載姓名如傳記體者，有敘述名品如目錄體者，有講說筆法者，有書畫各爲一書者，又有共爲一書者。苟能博觀約取，亦有助於增長賞鑒之識矣。

琴本雅音，舊列樂部。後世俗工撥捩，率造新聲。非復清廟生民之奏，是特一技耳。

《四庫總目》於此類書但著錄宋朱長文《琴史》六卷，明嚴瀓《松弦館琴譜》二卷，清初程雄《松風閣琴譜》二卷、《抒懷操》一卷，及和素《琴譜合璧》十八卷耳。末附案語云：「以上所錄，皆山人墨客之技，識曲賞音之事也。若熊朋來《瑟譜後錄》、汪浩然《琴瑟譜》之類，則全爲雅奏，仍隸經部樂類中，不與此爲伍矣。」可知四庫著錄之際，固雅俗有辨也。

摹印本六體之一。自漢白元朱，務矜鐫刻，與小學遠矣。

《漢書·藝文志·六藝略》敘及小學有曰：「六體者，古文、奇字、隸書、繆篆、蟲書。皆所以通知古今，摹印章，書幡信也。」可知摹印爲古人所重，由來舊矣。《四庫總目》於篆刻之屬但著錄吾邱衍《學古編》一卷、清初朱象賢《印典》八卷而已。末附案語云：「楊雄稱雕蟲篆刻，壯夫不爲，故鍾繇、李邕之屬，或自鐫碑，而無一自製印者，亦無鑒別其工拙者。漢印字畫，往往譌異，蓋由工匠所作，不解六書。或效爲之，斯好古之過也。自王俅《嘯堂集古錄》始稍收古印；自晁克一《印格》，始集古印爲譜；自吾丘衍《學古編》，始詳論印之體例；遂爲賞鑑家之一種。文彭、何震以後，法益密，巧益生焉。然印譜一經傳寫，必失其眞。今所錄者，惟諸家品題之書耳。」考吾丘衍《學古編》，首列〈三十五舉〉，詳論書體正變及篆寫摹刻之法。其十九舉有云：「漢魏印章，皆用白文；自唐用朱文，古法漸廢。」可知刻印而用朱文，實始於唐。《四庫類敘》謂爲「漢白元朱」，非也。

射義投壺，載於《戴記》。諸家所述，亦事異禮經。均退列藝術，於義差允。至於譜博弈，論歌舞，名品紛繁，事皆瑣屑，亦並爲一類，統曰雜技焉。

《禮記》有〈射義篇〉，亦有〈投壺篇〉。此云「射義投壺」，非指篇名；乃謂投壺之事，通於射義也。鄭玄《三禮目錄》云：「名曰投壺者，以其記主人與客燕飲講論才藝之禮。」蓋古者主客燕飲相娛樂，每有投壺之事，其制設壺一，使賓主依次投矢其中，勝者則酌酒飲負者。其事其禮，固與射近也。《四庫總目》藝術類雜技之屬，惟著錄《羯鼓錄》、《樂府雜錄》、《元元棋經》、《棋訣》四部。而以弈史、射書、壺譜之屬，收入存目，並附案語云：「射法《漢志》入兵家，《文獻通考》則入雜技藝，今從之。象經弈品，《隋志》亦入兵家，謂智角勝負，古兵法之遺也。然相去遠矣，今亦歸之雜技，不從其例。」可知其進退群書，亦自有斟酌也。

譜錄類敍

劉向《七略》，門目孔多，後併爲四部，大綱定矣。中間子目，遞有增減，亦不甚相遠。然古人學問，各守專門。其著述具有源流，易於配隸。六朝以後，作者漸出新裁，體例多由創造。古來舊目，遂不能該。附贅懸疣，往往牽強。

《漢書·藝文志》稱「成帝時，以書頗散亡，使謁者陳農求遺書於天下，詔光祿大夫劉向校經傳、諸子、詩賦，步兵校尉任宏校兵書，太史令尹咸校數術，侍醫李柱國校方技。每一書已，向輒條其篇目，撮其指意，錄而奏之。會向卒，哀帝復使向子侍中奉車都尉歆卒父業。歆於是總群書而奏其《七略》，故有《輯略》，有六藝略，有諸子略，有詩賦略，有兵書略，有術數略，有方技略。」阮孝緒《七錄・序》亦云：「劉向別集眾錄，謂之《別錄》；子歆撮其指要，著爲《七略》。」《隋書・經籍志》亦云：「漢時劉向《別錄》，劉歆《七略》，剖析條流，各有其部。」是作《七略》者，乃劉歆，非劉向也。《七略》中之輯略，乃諸書總要，猶後世之敘錄耳。故當時區分群籍，實六藝、諸子、詩賦、兵書、術數、方技，六類也。六類之中，共分三十八種，門目可謂多矣。其後魏鄭默編定《中經》，晉荀勖別爲《新簿》，始分甲、乙、丙、丁四部。顧其時尚以經、子、史、集爲次；東晉李充始將史籍提前，子書移後，使甲、乙、丙、丁之標目，成爲經、史、子、集之順序。唐初修《隋書・經籍志》，乃直立經、史、子、集四部之名。唐以後簿錄群書者，悉沿用而不改矣。然四部分類之法，自不免局限狹隘之弊，而事物日繁，新編競作，欲以舊目統納群書，既不免削足適履，甚或至無類可歸。牽強比合，學者病之。《隋志》譜系，本陳族姓，而末載《竹譜》、《錢圖》；《唐志》農家，本言種植，而雜列《錢譜》、《相鶴經》、《相馬經》、《鷙擊錄》、《相貝經》。《文獻通考》亦以《香譜》入農家。是皆明知其不安，而限於無類可歸；又復窮而不變，故支離顛舛，遂至於斯。惟尤袤《遂初堂書目》，創立譜錄一門。於是別類殊名，咸歸統攝，此亦變而能通矣。今用其例，以收諸雜書之無繫屬者。門目既繁，檢尋頗病於瑣碎。故諸物以類相從，不更以時代次焉。

《隋書·經籍志》史部譜系類，所錄自《世本》以逮諸家譜諜凡數十部。末附《錢譜》、《竹譜》、《錢圖》各一卷。《唐書·藝文志》子部農家，所錄自農書外，雜列顧烜《錢譜》、浮丘公《相鶴經》各一卷，堯須跋《鷙擊錄》二十卷，《相貝經》一卷，以及《相馬經》、《相牛經》之屬甚夥，皆所謂爲例不純也。《文獻通考·經籍考》以《香譜》入農家，亦同斯病耳。宋尤袤所撰《遂初堂書目》創立譜錄一門，《四庫總目》因之，而其實非也。大抵此門之書，皆所以類萬物之情狀，納諸類書，適得其所，自不必別爲一類。宋末編書目者，馬端臨猶明斯義，故以陶宏景《古今刀劍錄》入之類書，此正其精到處。而《四庫總目》非之，（見譜錄類器物之屬案語）。蓋未達斯旨也。四庫雖立譜錄一門，而於僻籍小書無可繫屬者，往往而窨，附錄《雲林石譜》於器物之末，即其明例。若能統歸類書，則斯弊祛矣。然自來著錄之家，於類書一門，但統錄《書鈔》、《御覽》諸編，而不復別析細目。惟孫星衍《祠堂書目》區爲事類、姓類、書目三種，體例獨善。苟能循斯義例，於三種之外，別增物類一目，則凡譜錄諸書，悉可歸納靡遺矣。

雜家類敘

衰周之季，百氏爭鳴，立說著書，各爲流品，《漢志》所列備矣。或其學不傳，後無所述；或其名不美，人不肯居。故絕續不同，不能一概著錄。後人株守舊文，於是墨家僅《墨子》、《晏子》二書；名家僅《公孫龍子》、《尹文子》、《人物志》三書；縱橫家僅《鬼谷子》一書，亦別立標題，自爲支派，此拘泥門目之過也。

古之大思想家、大政治家、大軍專家，或奔走遊說于外，或理政治軍於內，何嘗有暇著述？故記載其言論行事之書，多非己出。嚴可均《鐵橋漫稿·書管子後》有云：「先秦諸子，皆門弟子、或賓客、或子孫撰定，不必手著。」其說是也。古之簡策，全賴手鈔，鈔本失傳，其學遂廢。亡佚之多，悉由于此。亦有其說本盛行于一時而衰絕于後世者，如楊朱、墨翟之學，孟子嘗稱「天下之人，不歸楊則歸墨，」則其盛可知矣。而孟子竭力闢之，詆爲無父無君，至比之于禽獸。由是習者漸寡，競避其名。故楊朱之說全絕，而墨學亦衰。〈四庫類敘〉所謂「其名不美，人不肯居」者，此類是已。

墨家爲古九流之一，以兼愛、尚同、崇儉、信鬼、非命爲主。《晏子》之說，多與之近。故柳宗元〈辯晏子春秋〉謂墨氏之徒爲之也。名家、亦九流之一，以正名辨義爲主，始于鄧析、尹文，其後惠施、公孫龍，尤以詭辯著稱。公孫龍，戰國趙人，爲堅白異同之辨，著書十四篇。今存六篇，名《公孫龍子》。

尹文、嘗見稱于《莊子．天下篇》及《呂氏春秋》。而《說苑》又載其與齊宣王問答事，蓋當時稷下之士也。其書大旨指陳治道，欲自處于虛靜，而萬事萬物，則一一綜核其實，則其說又通于道德矣。《人物志》，乃魏劉邵撰。主于辯論人才，以外見之符，驗內藏之器。分別流品，研析疑似，頗近於名家，凡三卷。縱橫家亦九流之一，以審查時勢，游說動人爲主，而蘇秦、張儀最著。蘇秦主張合縱，張儀主張連橫，故曰縱橫家。鬼谷子乃縱橫家之祖，而蘇、張之師也。相傳爲楚人，無鄉里姓字，因其所居，稱鬼谷先生。有《鬼谷子》一卷，《漢志》不著錄，《隋志》列入縱橫家。

黃虞稷《千頃堂書目》，於寥寥不能成類者，併入雜家。雜之義，無所不包。班固所謂合儒墨，兼名法也。變而得宜，於例爲善。

考周秦諸子，未嘗有雜家之名。惟《荀子》嘗言「雜能旁魄而無用，」楊倞注以雜能爲多異術，或即指雜家之徒言之。然當時所言學派，究無此名；而爲此學者，亦未嘗標雜家之目。司馬〈談論六家要指〉，亦無雜家。雜家之名，蓋起于劉歆、班固簿錄群書之時。故所爲《七略》、《藝文志》，悉以書分類，不依人分類。其於兼括諸家之書，不能分隸於諸家之下者，盡歸之雜家焉。斯名既立，後之簿錄群書者多因之耳。明季福建晉江黃居中，僑居金陵，銳志藏書。其子虞稷，克承其志，著《千頃堂書目》三十二卷。《明史・藝文志》本之。所錄皆明一代之書，體例最善。於卷帙本簡，不能成類者，統歸雜家，《四庫總目》即用其例。

今從其說，以立說者謂之雜學；辨證者謂之雜考；議論而兼敘述者，謂之雜說；旁究物理，臚陳纖瑣者，謂之雜品；類輯舊文，塗兼眾軌者，謂之雜纂；合刻諸書，不名一體者，謂之雜編；凡六類。

《四庫總目》區分雜家爲六類，可云明晰。其雜學之屬案語云：「古者庠序之教，胥天下而從事六德、六行、六藝，無異學也。周衰而後百氏興。名家稱出於禮官，然堅石白馬之辨，無所謂禮；縱橫家稱出於行人，然傾危變詐，古行人無是詞命；墨家稱出於清廟之守，併不解其爲何語。（以上某家出某，皆班固之說。）實皆儒之失其本原者，各以私智變爲雜學而已。其傳者寥寥無幾，不足自名一家，今均以雜學目之。其他談理而有出入，論事而參利害，不純爲儒家言者，亦均附此類。」雜考之屬案語云：「考證經義之書，始於《白虎通義》。蔡邕《獨斷》之類，皆沿其支流。至唐而《資暇集》、《刊誤》之類，爲數漸繁；至宋而《容齋隨筆》之類，動成巨帙。其說大抵兼論經、史、子、集，不可限以一類，是眞出於議官之雜家也。（班固謂雜家者流，出於議官。）今彙而編之，命曰雜考。」雜說之屬案語云：「雜說之源，出於《論衡》。其說或抒己意，或訂俗譌，或述近聞，或綜古義。後人沿波，筆記作焉。大抵隨意錄載，不限卷帙之多寡，不分次第之先後，興之所至，即可成編。故自宋以來，作者至夥，今總彙之爲一類。」雜品之屬案語云：「古人質朴，不涉雜事。其著爲書者，至射法、劍道、手搏、蹴踘止矣。至《隋志》而欹器圖猶附小說，象經、棊勢，猶附兵家，不能自爲門目也。宋以後則一切賞心娛目之具，無不勒有成編，圖籍於是始眾焉。今於其專明一事一物者，皆別爲譜錄；其雜陳眾品者，自《洞天清錄》以下，並類聚於此門。蓋既爲古所未有之書，不得不立古所未有之例矣。」雜纂之屬案語云：「以上諸書，皆採摭眾說以成編者，以其源不一，故悉列之雜家。《呂覽》、《淮南子》、《韓詩外傳》、《說苑》、《新序》，亦皆綴合群言，然不得其所出矣，故不入此類焉。」雜編之屬案語云：「古無以數人之書合爲一編而別題以總名者，惟《隋志》載地理書一百四十九卷，錄一卷。注曰：『陸澄合《山海經》以來一百六十家以爲此書。』澄本之外，其舊書並多零失。見存別部自行者，惟四十二家。又載地記二百五十二卷。注曰：『梁任昉增陸澄之書八十四家，以爲此記。』其所增舊書，亦多零失。見存別部行者，惟十二家，是爲叢書之祖，然猶一家言也。左圭《百川學海》出，始兼裒諸家雜記，至明而卷帙益繁。《明史·藝文志》無類可歸，附之類書，究非其宜，當入之雜家，於義爲允。今雖離析其書，各著於錄，而附存其目以不沒蒐輯之功者，悉別爲一門，謂之雜編。其一人之書，合爲總帙，而不可名以一類者，既無可附麗，亦列之此門。」若此諸論，既可補〈敘文〉所未備，又可了然于群籍源流義例之異，可資參稽，故悉錄之。

類書類敘

類事之書，兼收四部。而非經非史，非子非集，四部之內，乃無類可歸。《皇覽》始於魏文，晉荀勖《中經簿》（原誤作部），分隸何門，今無所考。《隋志》載入子部，當有所受之。歷代相承，莫之或易。明胡應麟作《筆叢》，始議改入集部。然無所取義，徒事紛更，則不如仍舊貫矣。

類書之興，當溯源於《爾雅》。其書十九篇，有解說字義者，《釋詁》、《釋言》、《釋訓》是也；有專明親屬者，《釋親》是也；有記房屋器用者，《釋官》、《釋器》、《釋樂》是也；有紀自然現象者，《釋天》、《釋地》、《釋丘》、《釋山》、《釋水》是也；有錄生物品名者，《釋草》、《釋木》、《釋蟲》、《釋魚》、《釋鳥》、《釋獸》、《釋畜》是也。分類登載，有條不紊，此非類書而何。特由帝王分命臣工依類纂錄以成一書者，自魏文帝時編《皇覽》始耳。《隋書·經籍志》子部雜家類著錄《皇覽》一百二十卷。注云：「繆卜等撰。梁有六百八十卷，梁又有《皇覽》一百二十三卷。」可知《皇覽》一書，至南朝時，又有續編之本矣。《隋志》尚載有《類苑》一百二十卷；《要錄》六十卷；《書苑》二百卷；《書鈔》一百七十四卷。足徵在唐以前，類事之書，已盛行于時。

胡應麟《少室山房筆叢》卷三十八《華陽博議》云：「集之靡冗而難周者，莫大於類書。類書之中，又有博於名物者、典故者、經史者、詞章者。劉峻之《類苑》，徐勉之《華林》，博於名物；楊億之《元龜》，李昉之《御覽》，博於典故；樂天之《六帖》，景盧之《法語》，博於經史；敬宗之《玉彩》，李嶠之《珠英》，博於詞章。總之，則《玉彩》、《珠英》、《六帖》、《法語》之屬博於文；《御覽》、《元龜》、《類苑》、《華林》之屬博於事。歐、虞、祝、謝，兼載事文；杜、鄭、馬、王，獨詳經制。大抵書以類稱，體多沿襲。創造之力，劉、徐實難；考究之功，馬、鄭爲大。至纖微曲盡，毫末咸該，即陸澄、王摛，並操觚翰，未必無憾也。」胡氏區類書爲多門，是矣。徒以其時類書尚未獨標一目，故但附集部諸書而論之耳。初無改入集部之議也。

此體一興，而操觚者易於檢尋，注書者利於剽竊，轉輾稗販，實學頗荒。

類書有由私家編定者，意在專供爲文賦詩取材方便而已。如唐代白居易所修《六帖》，雜鈔典故、成語，以資詞藻之用。宋代王應麟所編《玉海》，自天文、地理以及典制、器用，統分二十一門，每門各分子目，凡二百四十餘類，即專爲博學宏詞科應試而設。自此類編纂之書出，而操觚者易於檢尋事目，獵取華藻矣。至於有關實學之類書，名物制度，羅列靡遺。注書者得之，左右采獲，裨益博聞；不俟旁求，典則悉在。高明之士，固有別擇去取之才；下愚者則不免蹈剽竊稗販之失，斯又編書之人所不能任咎者也。

然古籍散亡，十不存一。遺文舊事，往往託以得存。《藝文類聚》、《初學記》、《太平御覽》諸編，殘璣斷璧，至捃拾不窮，要不可謂之無補也。

自唐宋以來類書之編出，更爲繁多。如唐初魏徵所纂《群書治要》五十卷，虞世南所纂《北堂書鈔》一百六十卷，歐陽詢所纂《藝文類聚》一百卷，徐堅所纂《初學記》三十卷，內容豐贍，至今尚存。宋太宗時，敕修《太平御覽》一千卷，眞宗時，敕修《冊府元龜》一千卷，宏編巨製，猶在人間。其後明成祖時，修成《永樂大典》二萬二千九百三十七卷，清康熙、雍正間，編定《圖書集成》一萬卷，更是洋洋大觀，震鑠中外。即就《太平御覽》一書而言，所引秦漢以來古籍，多至一千六百九十餘種。其中十之七八，散佚已久，猶賴此書所引，可以考見其大要。又如《永樂大典》，包藏古書尤廣。清乾隆時修《四庫全書》，從其中輯出之佚書，計經部六十六種，史部四十一種，子部一百三十種，集部一百七十五種。共三百八十五種，凡四千九百四十六卷，悉錄入《四庫全書》。外存目一百二十九種，共六百十六卷。可知類書保存古籍之功，爲不小矣。

其專考一事，如《同姓名錄》之類者，別無可附，舊皆入之類書，今亦仍其例。

《古今同姓名錄》一書，本梁元帝撰。唐陸善經續而廣之，元人葉森又有所增補。輾轉附益，已非其舊。明余寅別撰《同姓名錄》十二卷，周應賓又補一卷，清王廷燦又補八卷。雖踵事增華，後出加詳；然椎輪之始，以蕭繹所撰爲最先。類事之書，莫早於是編，故《四庫總目》類書類，著錄此書二卷於首，乃《永樂大典》本也。

小說家類敘

張衡〈西京賦〉曰：「小說九百，本自虞初。」《漢書·藝文志》載虞初《周說》九百四十三篇，注稱武帝時方士，則小說興於武帝時矣。故《伊尹說》以下九家，班固多注依託也。

《漢志·諸子略》小說家，首著錄《伊尹說》二十七篇，《鬻子說》十九篇，《周考》七十六篇，《青史子》五十七篇，《師曠》六篇，《務成子》十一篇，《宋子》十八篇，《天乙》三篇，《黃帝說》四十篇，共九家之書，皆亡佚甚早。班氏自注云：「其語淺薄，似依託也；」或云：「後世所加；」或云：「非古語；」或云：「迂誕依託。」悉以荒遠無稽爲不可信也。

然屈原〈天問〉，雜陳神怪，多莫知所出，意即小說家言。

〈天問〉乃屈賦篇名。〈序〉言屈原放逐，彷徨山澤，見楚有先王之廟及公卿祠堂，圖畫天地山川神靈，琦瑋僪詭，及古聖賢怪物行事。因書其壁，呵而問之，作〈天問〉。蓋壁之有畫，起原甚早，屈子覩物興懷，指事設難，提出一百七十餘問，乃其一時訶壁之作也。自劉向、揚雄援引傳記以解說之，闕者甚多，不能詳悉。東漢王逸雖爲《章句》，仍未克盡憭其旨，理深辭奧，探索爲艱，似非小說家言所可比附矣。

而《漢志》所載《青史子》五十七篇，賈誼《新書·保傅篇》中先引之，則其來已久，特盛於虞初耳。

《漢志》著錄《青史子》五十七篇。班氏自注云：「古史官記事也。」觀賈誼《新書·保傅篇》、《大戴禮記·保傅篇》並引青史氏之記，言胎教之法甚備，實古史官之所記也。故章學誠《校讎通義》言及《漢志》之《青史子》五十七篇，亦不當儕于小說。論者徒以《文心雕龍·諸子篇》有「青史曲綴以街談」一語，遂貶退其書耳。

迹其流別，凡有三派：其一敘述雜事，其一記錄異聞，其一綴輯瑣語也。唐宋而後，作者彌繁。中間誣謾失眞妖妄熒聽者，固爲不少；然寓勸戒、廣見聞、資考證者，亦錯出其中。班固稱小說家流，蓋出於稗官。如淳注謂王者欲知閭巷風俗，故立稗官使稱說之。然則博採旁蒐，是亦古制，固不必以冗雜廢矣。今甄錄其近雅馴者，以廣見聞。惟猥鄙荒誕，徒亂耳目者，則黜不載焉。

子部之有小說，猶史部之有史鈔也。蓋載籍極博，子史尤繁，學者率鈔撮以助記誦，自古已然，仍世益盛。顧世人咸知史鈔之爲鈔撮，而不知小說之亦所以薈萃群言也。《漢志》小說家載虞初《周說》九百四十三篇外，尚有臣壽《周紀》七篇，《百家》百三十九卷。書以周名，猶《易》象之稱《周易》，蓋取周普、周備之義。《周紀》、《周說》，殆即後世叢鈔、雜說之類。《百家》一書，尤可望名以知其實，此非鈔纂而何？《隋志》小說家自《世說》、《辯林》諸書外，復有《雜語》、《雜書鈔》諸種，其意更顯。後世簿錄家率以筆記叢鈔之書入於此門，實沿漢隋諸《志》舊例也。夫小說既與史鈔相似，故二類最易混淆，與雜史一門亦復難辨。《四庫總目》小說類二案語云：「小說與雜史最易相淆，諸家著錄亦往往牽混。今以述朝政軍國者入雜史，其參以里巷閒談詞章細故者，則均隸此門。《世說新語》古俱著錄於小說，其明例矣。」今以《總目》所錄諸書考之，若《朝野僉載》、《唐國史補》之類，俱唐代舊事，有關治道，司馬《通鑑》，猶引用之，歸諸雜史，允得其門。他如《西京雜記》、《涑水紀聞》之類，雖不能列入雜史，獨不可屬之史鈔乎？至於《南唐近事》，自當列之載記。雖百計辨之，適足自亂其例耳。此特就其昭著者言之，其他敘次失宜者，更不可勝數。亦由事類相近，不易區分，故多錯亂也。故小說一家，固書林之總匯，史部之支流，博覽者之淵泉，而未可以里巷瑣談視之矣。

釋家類敘

梁阮孝緒作《七錄》，以二氏之文，別錄於末。《隋書》遵用其例，亦附於〈志〉末。有部數、卷數而無書名。《舊唐書》以古無釋家，遂併佛書於道家，頗乖名實。然惟錄諸家之書爲二氏作者，而不錄二氏之經典，則其義可從。今錄二氏於子部末，用阮孝緒例；不錄經典，用劉昫例也。諸志皆道先於釋，然《魏書》已稱〈釋老志〉。《七錄》舊目，載於釋道宣《廣宏明集》者，亦以釋先於道。故今所敘錄，以釋家居前焉。

佛教起自印度，始於釋迦牟尼。佛姓釋迦氏，略稱釋氏，奉其教者稱釋教。儒家排斥佛道，遂並稱二氏。韓愈《昌黎集·重答張籍書》云：「今夫二氏行乎中土也，蓋六百年有餘矣。」是二氏之名，唐時已盛行。佛教由西域傳入中國，舊說皆以爲在後漢明帝之世。然漢哀帝元壽元年（即公元前二年），博士弟子秦景（一作秦景憲，當即一人。）從大月氏王使伊存口受浮屠經，當爲佛教輸入之始。據《後漢書》記載，光武帝子楚王英，早已信佛，此亦佛教輸入不始於明帝時之證。特明帝永平十七年，遣郎中蔡愔及秦景等使天竺，得佛經四十二章及釋迦立像，與沙門攝摩騰、竺法蘭，以白馬負經歸，乃立白馬寺於洛陽城雍門西，此爲佛教見重於中土之始耳。自是月氏、安息高僧踵至，多譯經典。歷兩晉南北朝尤盛，而以後趙佛圖澄、西秦鳩摩羅什爲最著。而中國沙門如朱士行、宋雲、智猛、法顯、法勇等，亦西行求經；支遁，道安、慧遠、慧持等，復講經宏法。君主如趙石虎、秦姚興、梁武帝、北魏明帝等，又竭力推崇，上好下甚，靡然嚮風，於是寺刹浮圖，山崖佛象，偏於天下矣。

當佛教盛行中土之時，梁釋僧佑，本弘道明教之意，纂錄自東漢以下至於梁代闡明佛法之文，成《弘明集》十四卷。其學主於戒律，其說主於因果，而大旨則歸於抑周、孔，排黃、老，獨伸釋氏之法。梁以前尊信佛教之名流著述，今無專集行世者，多賴以存，亦可考見諸家議論宗旨也。唐釋道宣續編其書，成《廣弘明集》三十卷，而體例小殊。分爲十篇：一日歸正，二日辨惑，三日佛德，四日法義、五日僧行、六日慈濟，七日戒功，八日啓福，九日悔罪，十日統歸。每篇各爲小序，大旨排斥道教，與僧祐書相同。然道宣生于隋唐之間，古書多未散佚。其所採摭浩博，卷帙倍於僧祐，墜簡遺文，往往而在。如阮孝緒《七錄·序》，及其所分門目，儒家久已失傳，《隋志》僅存其說。而此書第三卷內，載其全文，足資考證，亦足以補儒書之闕佚也。釋家經典，至爲繁富。《隋書·經籍志》記梁武帝於華林園中總集釋氏經典凡五千四百卷，沙門寶唱撰《經目錄》，是爲佛經有目錄之始。唐開元間，沙門智昇著《開元釋教錄》，所錄已增於昔。以後歷代又續有新譯經論，名目至不可勝數。自《隋志》以來，簿錄家但能記其部數卷數而不能盡載書名，亦其勢然也。今通行之《大藏經》，凡爲書一千九百十六部，八千五百三十四卷。內容雖分經、律、論三藏，而以譯經爲最多。見之者既望洋興歎，學之者亦累世難窮矣。

道家類敘

後世神怪之迹，多附於道家，道家亦自矜其異。如《神仙傳》、《道教靈驗記》是也。

《神仙傳》，晉葛洪撰。所錄八十四人，惟容成公、彭祖二條，與《列仙傳》重出，餘皆補《列仙傳》所未載，凡十卷。《道教靈驗記》，五代時蜀杜光庭撰。其書歷述奉道之顯應，以自神其教。內容純爲神怪之說，不足據爲典要，凡十五卷。

要其本始，則主於清淨自持，而濟以堅忍之力。以柔制剛，以退爲進。故申子、韓子，流爲刑名之學，而《陰符經》可通於兵。

道家與道教迥異。周秦道家，與漢以下之道家，復有不同，不可不辨也。周秦道家之理論，本以施之治國。《漢書·藝文志》論及道家，有曰：「歷記成敗存亡禍福古今之道，然後知秉要執本，清虛以自守，卑弱以自持，此君人南面之術也。」末一語盡之矣。道家包蘊本廣，諸子多得其一體以爲用。《史記》老、莊、申、韓同傳，而太史公論之曰：「申子卑卑，施之於名實；韓子引繩墨，切事情，明是非，其極慘礉少恩，皆原於道德之意。」可知申不害、韓非之學，又實出於道家也。今本《陰符經》一卷，舊題黃帝撰，乃僞託。此書不見於《漢書·藝文志》。《隋書·經籍志》兵家有《太公陰符鈐錄》一卷，《周書陰符》九卷，皆不云黃帝，亦不名爲經。全文三百八十四字，蓋後人輯道家之言而成。朱熹謂其時有精語，非深於道者不能作。因爲之考定其文，撰《考異》一卷。

其後長生之說，與神仙家合爲一，而服餌導引入之；房中一家，近於神仙者，亦入之。

《老子》已言「以其不自生，故能長生。」道家傳會《老子》，故其言生命長存不死之術，謂之長生訣。宣其道者爲神仙家，傳其術者爲方士。《漢書·藝文志·方技略》著錄神仙十家之書二百五卷，雖皆早亡，可以考見其說行於古代之盛也。春秋戰國時，即有方士以不死之說欺惑人主。齊景公嘗問於晏子：「古而無死，其樂若何！」載昭公二十年《左傳》。可知景公當時已爲方士所惑。其後齊威宣王、燕昭王，亦皆信之，見於《史記·封禪書》。而秦皇、漢武好之尤篤，其說益大行於世。《漢志》以神仙、醫經、經方、房中並列於方技，今所傳古醫書《素問》，亦多載方士之言，從知方士與醫藥，聯繫甚密，故思藉修練、服食、房中諸術以求長生也。《漢志》敘房中有曰：「樂而有節，則和平壽考；及迷者弗顧，以生疾而隕性命。」其言甚簡，故薦紳先生難言之。而《抱朴子·釋滯篇》乃云：「房中之法十餘家，或以補救傷損，或以攻治眾病，或以采陰益陽，或以增年延壽，其大要在于還精補腦之一事耳。此法乃眞人口口相傳，本不書也。雖服名藥，而復不知此要，亦不得長生也。」葛洪所言雖詳，而神秘其術以爲眞人口傳，則固神仙家之說已。

鴻寶有書，燒煉入之。

《漢書・劉向傳》（附〈楚元王傳〉後）：「向字子政，本名更生。是時宣帝循武帝故事，招選名儒俊材置左右。更生以通達能屬文辭，與王褒、張子僑等並進對，獻賦頌凡數十篇。上復興神仙方術之事，而淮南有枕中《鴻寶苑秘書》，書言神仙使鬼物爲金之術，及鄒衍重道延命方，世人莫見。而更生父德，武帝時治淮南獄得其書。更生幼而讀誦以爲奇，獻之，言黃金可成。上令典尙方鑄作事，費甚多，方不驗，上乃下更生吏。」可知鴻寶之書，已言燒煉事。後世道家昌言煉丹之術，由來遠矣。

張魯立教，符籙入之。

《三國志・張魯傳》：「魯字公祺，沛國豐人也。祖父陵，客蜀，學道鵠鳴山中，造作道書，以惑百姓。從受道者，出五斗米，故世號米賊。陵死，子衡行其道；衡死，魯復行之。後據漢中，以鬼道教民，自號師君。其來學道者，初皆名鬼卒。受本道已信，號祭酒，各領部衆，多者爲治頭大祭酒。」其術以符咒治病，較醫藥爲簡易，故鄉民多歸附之。後世言道教者，均奉張陵爲始祖，傳其術而張大之者魯也。符籙本道家秘文，《隋書．經籍志》云：「符籙十七部、一百三卷。」可云盛矣。符者，屈曲作篆籀及星雷之文；籙者，素書記諸天曹官屬佐吏之名。北魏獻文帝幸道壇，親受符籙，事載〈本紀〉；《隋志》亦稱「太武親備法駕，而受符籙焉。自是道業大行，每帝即位，必受符籙以爲故事。」上行下效，凡奉道教者，皆佩帶之。

北魏寇謙之等，又以齋醮章咒入之。

張陵天師道盛行既久，道教中欲奪其位者，南方尚無其人，北方則有北魏寇謙之，出而進行改革，以取其天師之號。《魏書．釋老志》稱「世祖時，道士寇謙之，少修張魯之術，服食餌藥，歷年無效。守志嵩岳，精專不懈。」後又自言忽遇大神，授以天師之位，勖以明教之任。魏太武帝聞之欣然，始光中召至闕，甚敬重之，崇奉天師，顯揚新法，宣布天下，其道大行。遂立天師道場，改元太平眞君，建靜輪天宮。並因崇道之故．滅佛教，殺僧徒，毀佛寺，不啻以道教爲國教矣。齋醮，謂道士祀神時齋戒沐浴設壇祈禱也。又燒香焚化章表，口誦呪詞，以爲消災除厄之法云。

世所傳述，大抵多後附之文，非其本旨。彼教自不能別，今已無事於區分。然觀其遺書，源流遷變之故，尚一一可稽也。

由道家衍爲道教，雙化多矣。末流之弊，乃至不可勝言。明人謝肇淛《五雜俎》卷八，嘗論之曰：「三教之最失其傳者，無如道家。當時老氏之教，清淨無爲而已。施之於治，則絕聖去智，掊斗折衡，使結繩之治，可復原以用世，而非以長生也。至於赤松子、魏伯陽，則主煉養；盧生、李少君，則主服食；下至張道陵、寇謙之，則主符籙篆呪；愈趨而愈下。至近世黃冠，如林靈素者流，則但醮祭上章，祈福禳罪而已。蓋不惟與清淨之旨大相悖戾，即煉養服食之旨，駐年羽化之術，亦概乎未之有聞也。」晚清薛福成《出使日記》續刻卷九亦云：「《道德經》五千言，爲道教之鼻祖，其大旨在於清淨無爲，堅忍自持，沖虛不息，而又濟以堅忍，以柔制剛，以退爲進，其於儒理，尚爲不甚相遠。其後申子、韓子，流爲刑名之學；而爲神仙家言者，又爲服食導引之術，分爲內丹外丹，而其教始一變。內丹者，以一身之修煉陰陽，發揮丹道。其講道也，專事神仙修養，以金丹換凡骨。始創之者，爲魏伯陽諸子，所著如《參同契》、《悟眞篇》、《龍虎經》等皆是，道教推爲正宗。大抵以純陰純陽，奪天地之一氣，以爲丹飾，歸丹氣海之中，以馭一身，則一身之氣，翕然歸之，若眾星之拱北斗，蓋亦方技家言也。」兩家所言道家變化流弊，頗爲明切。考《漢書·郊祀志》，有方士祀神儀；《魏書·釋老志》，有道教祀神儀；二者對校，大同小異。然則後世之所謂道教，蓋原本方士巫師之術，雜之以陰陽家之五行災異，墨家之清廟明鬼，釋家之宗教儀式、而又上攀《道德經》五千言以相標榜而欺世惑民者也。學者於此，必有辨矣。

集部總敘

集部之目，《楚辭》最古，別集次之，總集次之，詩文評又晚出，詞曲則其閏餘也。

《漢書・藝文志・詩賦略》但著錄屈原賦二十五篇，《宋玉賦》十六篇，以及其他諸家賦共二十家三百六十一篇爲屈賦之屬，而無《楚辭》之名。自劉向裒錄屈宋諸賦，都爲一集，定名《楚辭》，實爲總集之祖。敘文既云「集部之目，《楚辭》最古，」而下句又言「別集次之，總集次之」者，蓋就後出總集言之耳。

古人不以文章名，故秦以前書無稱屈原、宋玉工賦者。洎乎漢代，始有詞人。迹其著作，率由追錄。

古人文不徒作。或抒情，或紀實，或說理，要皆有爲而發。故雖篇章無多，而精要者收入史傳矣。雖至漢代始有詞人，然如司馬相如、揚雄之儔，俱以實學名于時，相如有《凡將篇》，揚雄有《訓纂篇》，並著錄于《漢書・藝文志》，皆古小學名家，非第擅長詞賦而已。是學與文尚未分也。至東漢以下，詞人始盛，故《後漢書・儒林》之外，別立〈文苑傳〉以統之。然尚未有自編所爲文辭以成一集者，故《隋書・經籍志》集部所錄別集四百三十七部，四千三百八十一卷。自荀況、宋玉下逮兩漢魏晉六朝諸家之集，叢雜猥多，大抵皆由後人裒集成編者也。

故武帝命所忠求相如遺書，魏文帝亦詔天下上孔融文章。

古人本無意以能文立名，雖有所作，皆不自題姓字。故秦王始見〈孤憤〉、〈五蠹〉之篇，而不知出於韓非；漢武讀〈子虛賦〉，而不知爲司馬相如所作。名且不自標記，更何有於收拾篇章乎？古人文辭之多歸散佚，大半由於此也。《史記・司馬相如傳》云：「相如既病免，家居茂陵。天子曰：『司馬相如病甚，可往從悉取其書。若不然，後失之矣。』使所忠往，而相如已死，家無書。問其妻，對曰：『長卿固未嘗有書也。時時著書，人又取去，即空居。』」此漢武帝遣人求司馬相如遺書之事也。《後漢書・孔融傳》云：「魏文帝深好融文辭，歎曰：『楊班儔也。』募天下有上融文章者，輒賞以金帛。所著詩頌、碑文、論議、六言、策文、表檄、教令、書記凡二十五篇。」此魏文帝詔求孔融文章之事也。由斯二事，可知古人於所爲文，不自愛重如此，更不足以言編次矣。

至於六朝，始自編次；唐末又刊版印行。事見貫休《禪月集》夫自編則多所愛惜，刊版則易於流傳。四部之書，別集最雜，茲其故歟！

六朝時，齊司徒左長史張融自編所爲文成《玉海集》十卷，乃自編文集之始。其時書皆手寫，傳鈔至難，故流傳尙不能廣。至唐雕版術興，刊布捷便，文辭易於行世，篇什富於前時。下歷宋、元、明、清，作者多如牛毛，其名集之例，或以官階，或以郡望，或以別號，或以謚稱。而以齋、館、亭、園自名其集者，尤不可勝數。其書充棟積宇，然自犖犖數十大家外，可傳者不多也。顧炎武《日知錄》卷十九，論及文不貴多，有曰：「二漢文人，所著絕少。史於其傳末，每云所著凡若干篇。惟董仲舒至百三十篇，而其餘不過五六十篇，或十數篇，或三四篇。史之錄其數，蓋稱之，非少之也。乃今人著作，則以多爲富。夫多則必不能工，即工亦必不皆有用於世，其不傳宜矣。」顧氏所言，可謂達本之論。

然典冊高文，清辭麗句，亦未嘗不高標獨秀，挺出鄧林。此在剪刈卮言，別裁僞體，不必以猥濫病也。

此言別集既多，瑕瑜互見，自可審辨良莠，區別處理，不必概加鄙棄也。高文典冊，謂朝廷大制作。楊子雲曰：「廊廟之下，朝廷之中，高文典冊用相如。」見《西京雜記》。鄧林，喻茂美之境也。古代寓言，謂夸父逐日，飲河渭不足，將飲西海，未至，道渴死。棄其杖，化爲鄧林，見《山海經》。「卮言日出」，語見《莊子》。解者多家，或以支離之言釋之，是也。

總集之作，多由論定。而蘭亭金谷，悉觴詠於一時。下及漢上題襟，松陵唱和，《丹陽集》惟錄鄉人，《篋中集》則附登乃第。雖去取僉孚眾議，而履霜有漸，已爲詩社標榜之先驅。其聲氣攀援，甚於別集。要之浮華易歇，公論終明，巋然而獨存者，《文選》、《玉臺新詠》以下數十家耳。

《晉書·王羲之傳》稱會稽有佳山水，名士多居之。羲之嘗與同志宴集於會稽山陰之蘭亭。集當時倡和之詩為《蘭亭集》，羲之自為之序，以申其志。〈石崇傳〉稱崇有別館在河陽之金谷，一名梓澤，送者傾都，帳飲於此焉。當時互相贈答之詩亦多。潘岳有《金谷詩集·序》，今已亡。《唐書·藝文志》有《漢上題襟集》十卷，乃溫庭筠、段成式、余知古等倡和之作。唐陸龜蒙嘗編與皮日休、崔璞倡和之詩為《松陵集》；殷璠嘗編其同鄉十八人之詩為《丹陽集》；元結嘗編友好及其弟融七人之詩二十四首為《篋中集》。是皆私門敦好，有意揄揚，自不免聲氣標榜。其或選錄古近詩文之佳者，都為一集，若梁昭明太子蕭統選錄秦漢三國以下各朝詩文成《文選》六十卷；陳徐陵選錄梁以前之詩，為《玉臺新詠》十卷；但分門類，不事品題。而遺佚篇章賴之以保存者不少。總集之編次，斯為上乘矣。故後之編總集者，多沿其體。

詩文評之作，著於齊梁。觀同一八病四聲也，鍾嶸以求譽不遂，乃致譏排；劉勰以知遇獨深，繼爲推闡；詞場恩怨，亘古如斯。

論文之作，以梁劉勰《文心雕龍》爲最著，其書實成於齊代。評詩之作，以梁鍾嶸《詩品》爲最著，嶸亦齊梁間人。故曰：「詩文評之作，著於齊梁。」「八病四聲」，謂沈約也。《梁書・沈約傳》稱：「約撰《四聲譜》，以爲在昔詞人，累千載而不寤，而獨得胸衿，窮其妙旨，自謂入神之作。」《南齊書・陸厥傳》亦稱：「約等文（當時以有韻者為文，無韻者為筆。）皆用宮商，以平上去入爲四聲。以此制韻，不可增減。」蓋沈約當時，但講求韻律，探討聲病。至唐始有所謂平頭、上尾、蜂腰、鶴膝、大韻、小韻、旁紐、正紐等八病之名目，宋人又加以發揮。後之論者，率嫁名於沈約耳。

沈約有大名於齊梁間，當時撰述之士，皆欲得其一言以爲重。史稱鍾嶸始成《詩品》，嘗求譽於約，約弗爲獎薦，故嶸怒之，列約中品，序中又深詆聲律之學，是有意譏排之也。劉勰爲《文心雕龍》五十篇，既成，未爲時流所稱。勰自重其書，欲取定於沈約，約時貴盛，無由自達，乃負其書候約出，干之於車前，約命取讀，大異之，常陳几案，又從而推闡之，無疑也。

冷齋曲附乎豫章，石林隱排乎元祐，黨人餘釁，報及文章，又其已事矣。固宜別白存之，各核其實。

宋僧惠洪，著《冷齋夜話》十卷。雜記見聞，而論詩者居十之八。論詩之中，稱引元祐諸人者，又十之八，而語及黃庭堅者尤多。蓋惠洪猶及識庭堅，故引以爲重。庭堅有《豫章黃先生文集》三十卷，故曰豫章也。宋葉夢得撰《石林詩話》一卷。論詩推重王安石甚至，而於歐陽修、蘇軾之詩，皆肆譏彈。蓋夢得出蔡京之門，其婿章沖，又章惇之孫，本爲紹聖餘黨。故論及詩文，尚陰抑元祐諸家。歐、蘇，皆元祐間人也。然夢得詩文學識，實南北宋間之巨擘。其所評論，往往深中竅要，終非其他隨聲附和以爲是非者可比，如能略其門戶之私，而取其精核之論，分別觀之，固猶可考見一代文苑得失也。

至於倚聲末技，分派詩歌。其間周、柳、蘇、辛，亦遞爭軌轍。然其得其失，不足重輕，姑附存以備一格而已。

倚聲，謂填詞也。填詞多依前人之調爲之，故稱倚聲。詞極盛於兩宋。名家輩出，流派亦多。此處舉周、柳、蘇、辛，特約略言之耳。北宋之周邦彥，有《片玉詞》二卷，《補遺》一卷；柳永有《樂章集》一卷；蘇軾有《東坡詞》一卷；南宋辛棄疾有《稼軒詞》四卷。此四家若以時世先後論，則當云柳、蘇、周、辛也。詞自南唐以來，但有小令，柳永實長調之開山。以其多作慢詞，恢張詞體，勢必求諧音律，不能無所拘制。而內容又多側重於兒女之情，以取悅於當世。蘇軾乃以豪放傑出之才，一洗綺羅香澤之態，擺脫綢繆宛轉之度，使人登高望遠，昂首高歌，浩氣逸懷，超出塵表，遂爲詞壇別開宗派，以入於解放之途矣。周邦彥以健筆寫柔情，論者謂其音律與詞情並美，實集詞學之大成，後世多奉爲正宗。南渡後，邦國式微，一蹶不振，豪傑之士，忠憤滿腔，乃藉慷慨激烈之心聲，一洩抑塞磊落之奇氣，悲歌當哭，鬱勃蒼涼。以迄宋亡，作者不絕，而辛棄疾實爲之魁。要之，棄疾之詞，與陸游之詩，語關家國，意繫存亡，民族精神，充溢楮墨，與夫文士之詩詞，固未可同日語也。

《四庫總目》卷一百九十八，《東坡詞·提要》云：「詞自晚唐五代以來，以清切婉麗爲宗。至柳永而一變，如詩家之有白居易；至軾而又一變，如詩家之有韓愈；遂開南宋辛棄疾等一派。尋源溯流，不能不謂之別格。然謂之不工則不可，故至今日，尚與花間一派並行，而不能偏廢。」《稼軒詞・提要》又云：「其詞慷慨縱橫，有不可一世之概，於倚聲家爲變調。而異軍特起，能於刻紅剪翠之外，屹然別立一宗，迄今不廢。」此二段議論，可以補申敘文所云「遞爭軌轍」之旨。

> 大抵門戶構爭之見，莫甚於講學，而論文次之。講學者聚黨分朋，往往禍延宗社；操觚之士，筆舌相攻，則未有亂及國事者。蓋講學者必辨是非，辨是非必及時政，其事與權勢相連，故其患大。文人詞翰，所爭者名譽而已，與朝廷無預，故其患小也。

講學家門戶之爭，始於宋而盛於明。自朱熹撰《伊雒淵源錄》，即已發其端。《四庫總目》卷五十七，《伊雒淵源錄・提要》有云：「宋人談道學宗派，自此書始；而宋人分道學門戶，亦自此書始。厥後聲氣攀援，轉相依附。其君子各執意見，或釀爲水火之爭；其小人假借因緣，或無所不至。」《四庫總目》卷五十八，《儒林宗派・提要》亦云：「自《伊雒淵源錄》出，《宋史》遂以道學儒林分爲二傳。非惟文章之士，記誦之才，不得列之於儒，即自漢以來傳先聖之遺經者，亦幾幾乎不得列於儒。講學者遞相標榜，務自尊大，明以來談道統者，揚己凌人，互相排軋，卒釀門戶之禍，流毒無窮。」觀斯二論，可知宋明講學家門戶構爭之甚。至於爲害之鉅，已疏證於子部〈儒家類敘〉矣，學者可參稽也。《四庫總目》卷五十七，《慶元黨禁・提要》又曰：「儒者明體達用，當務潛修；致遠通方，當求實濟。徒博衛道之名，聚徒講學，未有不水火交爭，流毒及於宗社者。東漢不鑒戰國之橫議，南北部分而東漢亡；北宋不鑒東漢之黨錮，洛蜀黨分而北宋亡；南宋不鑒元祐之敗，道學派盛而南宋亡；明不鑒慶元之失，東林勢盛而明又亡。皆務彼虛名，受其實禍。決裂潰覆之後，執門戶之見者，猶從而巧爲之詞，非公論也。」此文綜括歷代聚徒分朋，禍延宗社之實際沉痛言之，尤足以警世已。

論文之有門戶，亦以明人爲甚。《四庫總目》卷一百七十一，《空同集・提要》，稱李夢陽「倡言復古，使天下毋讀唐以後書。持論甚高，足以竦當代之耳目。故學者翕然從之，文體一變。厥後摹擬剽賊，日就窠臼，論者追原本始，歸獄夢陽，其受詬厲亦最深。考明自洪武以來，運當開國，多昌明博大之音；成化以後，安享太平，多臺閣雍容之作。愈久愈弊，陳陳相因，遂至嘽緩冗沓，千篇一律。夢陽振起痿痺，使天下復知有古書，不可謂之無功。而盛氣矜心，矯枉過直，其文則故作聱牙，以艱深文其淺易」云云。《四庫總目》卷一百七十二人，《滄溟集·提要》有云：「明代文章，自前後七子而大變。前七子以李夢陽爲冠，何景明附冀之；後七子以李攀龍爲首，王世貞應和之。後攀龍先逝，而世貞名位日昌，聲氣日廣，著述日富，壇坫遂躋攀龍上。然續前七子之焰者，攀龍實首倡也。至萬曆間，公安袁宏道兄弟，始以贗古詆之；天啓中，臨川艾南英，排之尤力。」《震川文集·提要》又云：「初，太倉王世貞，以秦漢之文倡率天下，無不靡然從風，相與剽剟古人，求附壇坫。歸有光獨抱唐宋諸家遺集，與二三弟子，講授於荒江老屋之間，毅然與之抗衡，至詆世貞爲庸妄巨子。世貞初亦牴牾，迨於晚年，乃始心折。故其題有光〈遺像贊〉曰：『風行水上，渙爲文章；風定波息，與水相忘。千載惟公，繼韓、歐陽。余豈異趣，久而自傷。』蓋所持者正，雖以世貞之高名盛氣，終無以奪之。自明季以來，學者知由韓、柳、歐、蘇，沿洄以溯秦漢者，有光實有力焉。」由此數論觀之，可知明代文人門戶之爭，亦甚囂塵上，歷時爲不短矣。然如艾南英以排斥王、李之故，至以嚴嵩爲察相，而以殺楊繼盛爲稍過當。豈其捫心清夜，果自謂然？亦朋黨既分，勢不兩立，故決裂名教而不辭耳。

《明史·艾南英傳》：「萬曆末，場屋文腐爛，南英深疾之。與同郡章世純、羅萬藻、陳際泰，以興起斯文爲任。乃刻四人所作行之世，世人翕然歸之，稱爲章、羅、陳、艾。而文日有名，負氣陵物，人多憚其口。始王、李之學大行天下。談古文者悉宗之。後鍾、譚出而一變，至是錢謙益負重名於詞林，痛相糾駁，南英和之。排詆王、李，不遺餘力。」所稱王、李，乃謂王世貞、李攀龍也。王有《弇州山人四部稾》一百七十四卷，《續稾》二百七卷。李有《滄溟集》三十卷，皆傳于世。南英攻詆王氏《四部稾》尤厲，其所著《天傭子集·讀四部稾書後》有云：「王世貞前後《四部稾》及其《外集》，多載嘉隆時事。臣嘗讀其書，竊怪以世宗肅皇帝之英武威福，操縱無所旁貸。而世貞於其大誅賞，一則曰相嵩，再則曰世蕃，是視其君如漢獻、孺子嬰也。世貞父死國法，公論已明，非眞怨毒之於人也。媚時相而要贈卹，遂知有時相而不知有君，甚矣哉！漢武窮兵征討，虛耗海內，史遷據事直書，非以李陵腐故，修怨於其君也。讀史遷之書，漢武不失爲好大喜功；讀世貞之書，天下後世視世廟爲何如？王世貞雅有文名，又善獵史、漢之皮毛以序飾時政。愛其文者，既溺而不察，士子生長草野，不及見嘉隆故老，以審知是非之實。而一時著述編錄之人，不過據近代文集，吠聲附會，而世貞之文集最著。臣敢書其後曰：近代文士，以修怨而無君者，太倉王世貞也；以橫議而非聖者，溫陵李贄也。贄之書，敢爲高論，陰詆孔、孟，士子學問稍有本原者，猶知其非。而世貞之書，則皆以票擬深秘，可逐事文，致時政久遠，聞見無稽。而材相英君，千載知遇，誅戮稍稍過當，易以惑人，竟未有知世貞之罪者。霍光數昌邑王之過，君子猶以爲疑；世貞罪狀相嵩，獨可信乎？天啓元年，艾南英記。」據此可知艾氏之於王世貞，深惡痛絕，勢不兩立，攻詆之辭，自不免過激耳。

至錢謙益《列朝詩集》，更顚倒賢姦，彝良泯絕，其貽害人心風俗者，又豈尠哉！

錢謙益，字受之，號牧齋，明末常熟人。萬曆進士，官至禮部侍郎。入清，復授是職。以詩文標榜東南，後進奉爲壇坫，有大名於當時。嘗集有明一代之詩爲《列朝詩集》八十一卷。起洪武訖崇禎，共十六朝，凡二百七十八年。分爲甲乙丙丁四集。上而列帝與諸王之詩，則入之乾集；下而僧道、閨秀、宗潢、婦寺、藩服之詩，則入之閏集。而自元末至太祖建國，凡元之亡國大夫及遺民之在野者，則別編爲甲前集。入選者一千六百餘家。是書廣攬兼收，無分男女貴賤，朝野華夷，以逮沙門道士。但錄其詩，不論其人。逸篇零什，賴以保存者不少。在總集中爲創格，於徵文考獻，不爲無補。後人徒以謙益爲兩朝人物，節概行事，多可訾議，故論者多鄙薄之。然吾嘗讀其《初學集》、《有學集》，如其湛深經史，學有本原，論議通達，多可取者。當時閻若璩以學問雄海內，而生平最欽服者三人，自顧炎武、黃宗羲外，則謙益也。又曾列謙益之名冠十四聖人之首。其推崇之至此，夫豈阿其所好哉！其《二集》在乾隆時，以語涉誹謗，板被禁毀。修《四庫全書》時，既未著錄其著述，撰敘文者，又假論及《列朝詩集》，而抨擊加劇，非定評也。逞愛憎之私，失是非之公，學者於此，必有辨矣。

今掃除畛域，一準至公。明以來諸派之中，各取其所長而不回護其所短。蓋有世道之防焉，不僅爲文體計也。

《四庫提要》於品論明代諸家之集，有意持平。既揚其長，復揭其短。古人所稱「好而知其惡，惡而知其美」者，庶幾近之。

楚辭類敘

裒屈、宋諸賦，定名《楚辭》，自劉向始也。

《四庫總目》卷一百四十八，《楚辭章句·提要》：「初，劉向裒集屈原〈離騷〉、〈九歌〉、〈天問〉、〈九章〉、〈遠遊〉、〈卜居〉、〈漁父〉；宋玉〈九辨〉、〈招魂〉；景差〈大招〉；而以賈誼〈惜誓〉；淮南小山〈招隱士〉；東方朔〈七諫〉；嚴忌〈哀時命〉；王褒〈九懷〉；及向所作〈九歎〉；共爲《楚辭》十六篇。是爲總集之祖。」是《楚辭》之名，所起甚晚，至西漢末年始有之。《漢書·藝文志·詩賦略》，但著錄《屈原賦》二十五篇，仍無《楚辭》之名。舊本《楚辭》，亦題「護左都水使者光祿大夫臣劉向集，」是已。而《隋書·經籍志》乃云：「《楚辭》者，屈原之所作也」如此渾括，大有語病，學者所宜明辨。

後人或謂之《騷》，故劉勰品論《楚辭》，以〈辨騷〉標目。考史遷稱「屈原放逐，乃著〈離騷〉。」蓋舉其最著一篇。〈九歌〉以下，均襲騷名，則非事實矣。

《史記·屈原列傳》稱「屈平疾王聽之不聰也，讒諂之蔽明也，邪曲之害公也，方正之不容也。故憂愁幽思而作〈離騷〉。離騷者，猶離憂也。」是「離騷」二字，本相連成辭，不可割裂。論其文體，則賦也。梁昭明太子蕭統裒集《文選》，不歸賦門，而別名曰騷。凡〈九歌〉、〈九章〉、〈卜居〉、〈漁父〉，以及宋玉〈九辯〉、〈招魂〉，劉安〈招隱士〉之屬，悉附此類。則統名《楚辭》爲騷，又不自劉勰《文心雕龍》始矣。斯名之立，其殆昉於齊梁間乎？後世沿波，因稱寫憂鬱之思以成文賦者爲騷體，馳騁文場以詩賦見長者爲騷人，皆非其原意也。

《隋志》集部，以《楚辭》別爲一門，歷代因之。蓋漢魏以下，賦體既變，無全集皆作此體者。他集不與《楚辭》類，《楚辭》亦不與他集類，體例既異，理不得不分著也。

《隋書·經籍志》，《楚辭》一門，但著錄十部，二十九卷。即《四庫總目》亦但著錄六部，六十五卷；存目十七部，七十五卷；大抵皆注說也。竊謂此類著述無多，似可以冠總集之首，不必別爲一類。六朝時賦集之編多家，《隋志》悉入總集；宋元人所編《樂府詩集》、《古樂府》之類，《四庫總目》亦歸之總集。斯皆文以類聚，合集成書，與《楚辭》體例相近，惟時代不同耳。《楚辭》爲總集之祖，取冠其首，尤足以明原溯本也。

楊穆有《九悼》一卷，至宋已佚。晁補之、朱子，皆嘗續編，然補之書亦不傳，僅朱子書附刻《集注》後。今所傳者，大抵注與音耳。

《隋書·經籍志》著錄《楚辭九悼》一卷，楊穆撰。兩《唐志》同。《宋史·藝文志》有晁補之《續楚辭》二十卷，又《變離騷》二十卷。《四庫總目》著錄朱熹《楚辭集注》八卷，《辨證》二卷，《後語》六卷。朱子自《集注》、《辨證》外，又刊定晁補之《續楚辭》、《變離騷》二書，錄荀卿至呂大臨凡五十二篇，爲《楚辭後語》附《集注》後。

注家由東漢至宋，遞相補苴，無大異詞。迨於近世，始多別解。割裂補綴，言人人殊。錯簡說經之術，蔓延及於詞賦矣。今並刊除，杜竄亂古書之漸也。

注《楚辭》者，東漢王逸所撰《楚辭章句》十七卷爲最早。至宋洪興祖爲《楚辭補注》十七卷，朱熹爲《楚辭集注》八卷。皆因文立訓，遞相補苴。下逮清初，異說乃起。如屈復所撰《楚辭新注》八卷，往往師心自用，變亂舊文。如〈離騷〉「日黃昏以爲期兮」二句，指爲衍文；〈天問〉一篇，隨意移置其前後，謂之錯簡。〈九歌〉末「禮魂」一章，欲改爲「禮成」，以爲〈九歌〉之亂辭。又如劉夢鵬所撰《楚詞章句》七卷，亦於篇章次第，竄亂甚多。乃至刪除篇題，增易文句。皆妄逞胸臆，全無依據也。

別集類敘

集始於東漢。荀況諸集，後人追題也。

《隋書．經籍志》云：「別集之名，蓋漢東京之所創也。」《四庫》敘文承用其說，而其實非也。《漢志》之「詩賦略」，即後世之集部也。觀其敘次諸家之作，每云某某賦若干篇，各取其傳世之文，家各成編，斯即別集之權輿。如云：「《屈原賦》二十五篇」，即《屈原集》也；「《宋玉賦》十六篇」，即《宋玉集》也；「《司馬相如賦》二十九篇」，即《司馬相如集》也，「《孫卿賦》十篇」，即《荀況集》也；「《上所自造賦》二篇」，即《漢武帝集》也。循是以推，則「詩賦略」所錄五種百六家之文，大半皆別集矣。是劉向父子校書秘閣時，即已裒集多家之文，依人編定，使可別行。當時無「集」之名，而有「集」之實。集之創始。必溯原於此，不得謂至東漢而後有此體製也。特後人一一追題，紛加集名耳。

其自製名者，則始於張融《玉海集》。其區分部帙，則江淹有《前集》，有《後集》；梁武帝有《詩賦集》，有《文集》，有《別集》；梁元帝有《集》，有《小集》；謝朓有《集》，有《逸集》；與王筠之一官一集，沈約之《正集》百卷，又別選《集略》三十卷者，其體例均始於齊梁。蓋集之盛，自是始也。

《隋書·經籍志》所錄備矣，《四庫》敘文特據以分析言之耳。《隋志》別集類著錄之書四百三十七都，南朝爲多，齊梁尤盛。文士雲興，亦足以覘當時之風尚也。《南齊書·張融傳》稱「融自名集爲《玉海》。司徒褚淵問《玉海》名，融答玉以比德，海崇上善也。文集數十卷行於世。」在融以前，固未有自立美名以號其集者。

唐宋以後，名目益繁。然隋唐《志》所著錄，《宋志》十不存一；《宋志》所著錄，今又十不存一。新刻日增，舊編日減。豈數有乘除歟？文章公論，歷久乃明。天地英華所聚，卓然不可磨滅者，一代不過數十人。其餘可傳可不傳者，則繫乎有幸有不幸，存佚靡恆，不足異也。

自唐宋以逮明清，作者競起，凡自裒所爲文，或身後由門生故吏輯錄之以成一編者，大抵沿前世舊稱，名之曰集。或曰文集，或曰類集，或曰合集，或曰全集，或曰遺集。亦名之曰稿，或曰文稿，或曰類稿，或曰叢稿，或曰存稿，或曰遺稿。而集之中有正集、別集之分，稿之中有初稿、續稿之辨。其不以集或稿爲名者，則命曰文鈔，或曰文錄，或曰文編，或曰文略，或曰遺文。名目繁多，不可勝數。撰述雖富，散亡尤易。觀歐陽修《唐書藝文志・序》及〈送徐無黨南歸序〉，已言書之傳不傳，有幸有不幸；而深歎學者勤一世以盡心於文字間者，皆可悲也。即以兩宋而論，宋初文籍至南渡後，存者僅十二三，洪邁《容齋隨筆》、王明清《揮麈前錄》亦嘗慨喟道之。四部中別集尤爲冗雜，而文士多無學術，連篇累牘，無非空論。人所厭觀，亦固其所。故刻印雖早，旋歸寂滅，又未可以不幸二字概之矣。

今於元代以前，凡論定諸編，多加甄錄。有明以後，篇章彌富，則刪薙彌嚴。非曰沿襲恒情，貴遠賤近。蓋閱時未久，珠礫並存，去取之間，尤不敢不愼云爾。

以詩文論，唐宋尚多大家，終古不廢，故可錄者不少。自元以下，瑕瑜互見，則宜加甄別矣。胡應麟嘗謂「得宋明以下書萬卷，不能當三代之一。」非徒尊古卑今，亦以所言有虛實高下之不同耳。別集中尤多浮濫，又與他書異也。《明史·藝文志》專載有明一代之書，而別集類竟有一千一百八十八部，一萬九千八百九十六卷，可謂夥矣。不有刪薙，何能盡登，別擇去取，自不得不嚴也。

總集類敘

文籍日興，散無統紀，於是總集作焉。一則網羅放佚，使零章殘什，並有所歸；一則刪汰繁蕪，使莠稗咸除，菁華畢出。是固文章之衡鑒，著作之淵藪矣。《三百篇》既列為經，王逸所裒，又僅《楚辭》一家。故體例所成，以摯虞《流別》為始。其書雖佚，其論尚散見於《藝文類聚》中，蓋分體編錄者也。

《楚辭》本劉向所輯錄，至東漢王逸作注時，又益以己作〈九思〉與班固〈二敘〉為十七卷。自此疏釋《楚辭》者，咸以王注為定本，故《四庫》敘文云：

「王逸所裒」也。《楚辭》本總集之始，《四庫總目》仍採原於摯虞《流別》者，本《隋書・經籍志》之說耳。《隋志》云：「總集者，以建安之後，辭賦轉繁，眾家之集，日以滋廣。晉代摯虞，苦覽者之勞倦，於是採摘孔翠，芟剪繁蕪，自詩賦下，各爲條貫。合而編之，謂爲《流別》。是後又集總鈔，作者繼軌。屬辭之士，以爲覃奧，而取則焉。」《隋志》著錄：「《文章流別集》四十一卷，梁六十卷，《志》二卷，《論》二卷。摯虞撰。」《晉書・摯虞傳》稱「虞字仲洽，京兆長安人。父模，魏太僕卿。虞少事皇甫謐，才學通博，著述不倦。虞撰《文章志》四卷，注解《三輔決錄》，又撰古文章，類聚區分，爲三十卷，名曰《流別集》。各爲之論，辭理愜當，爲世所重。」是《文章流別集》一書，早已見重當時，宜其爲後世取則也。

考魏文帝雅重文學，自爲太子時，即與徐幹、劉楨、應瑒、阮瑀、陳琳、王粲、吳質爲友。值魏大疫，諸人多死。太子〈與吳質書〉有曰：「昔年疾疫，親故多離其災。徐、陳、應、劉，一時俱逝，痛可言邪！」「頃撰其遺文，都爲一集。觀其姓名，已爲鬼錄。追思昔遊，猶在心目，而此諸子，化爲糞壤，可復道哉！」「間者歷覽諸子之文，對之抆淚，既痛逝者，行自念也。」而書中品論諸家文辭之語尤多，不煩悉舉。所謂「撰其遺文，都爲一集，」即總集之體例，遠在摯虞《流別集》之前矣。特文帝裒爲此編，常置几案，以備一己之觀省，所謂「歷覽諸子之文」者，蓋指此編而言。當時既未流布於外，故知之者鮮耳。然後之論及總集源流者，自不可置而不言。況魏文早有《典論》，乃論文之先驅，摯虞文論，諒亦有取於是也。

《文選》而下，互有得失。至宋眞德秀《文章正宗》，始別出談理一派，而總集遂判兩途。然文質相扶，理無偏廢；各明一義，未害同歸。惟末學循聲，主持過當；使方言俚語，俱入詞章，麗製鴻篇，橫遭嗤點。是則併德秀本旨失之耳。今一一別裁，務歸中道。

眞德秀編有《文章正宗》二十卷，《續集》二十卷。《四庫總目》卷一百八十七，是書〈提要〉云：「是集分辭命、議論、敘事、詩歌四類，錄《左傳》、《國語》以下，至于唐末之作。其持論甚嚴，大意主於論理而不論文。《續集》二十卷，皆北宋之文。闕詩歌、辭命二門，僅有敘事、議論。而末一卷議論之文，又有錄無書，蓋未成之本。」又云：「德秀雖號名儒，其說亦卓然成理。而四五百年以來，自講學家以外，未有尊而用之者。豈非不近人情之事，終不能強行於天下歟？然專執其法以論文，固矯枉過直；兼存其理以救浮華冶蕩之弊，則亦未嘗無裨。藏弆之家，至今著錄，厥亦有由矣。」《崇古文訣・提要》云：「宋人多講古文，而當時選本存於今者，不過三四家。眞德秀《文章正宗》，以理爲主。如飮食惟取禦饑，菽粟之外，鼎俎烹和，皆在其所棄；如衣服惟取禦寒，布帛之外，黼黻章采，皆在其所捐。持論不爲不正，而其說終不能行於天下。」《四庫總目》卷一百九十，《古文雅正・提要》云：「考總集之傳，惟《文選》盛行。於歷代殘膏賸馥，沾溉無窮。然潘勖九錫之文，阮籍勸進之箋，名教有乖，而簡牘並列，君子恆譏焉，是雅而不正也。至眞德秀《文章正宗》、金履祥《濂洛風雅》，其持論一準於理。而藏弆之家，但充插架，固無人起而攻之，亦無人嗜而習之，豈非正而未雅歟？夫樂本於至和，然五音六律之不具，不能嘔啞吟唱以爲和；禮本於至敬，然九章五采之不備，不能袒裼跪拜以爲敬也。文質相輔，何以異茲。」《四庫總目》卷一百九十一，《濂洛風雅·提要》云：「夫德行文章，孔門即分爲二科，儒林、道學、文苑，《宋史》且別爲三傳。言豈一端，各有當也。以濂洛之理責李、杜，李、杜不能爭；天下亦不敢代爲李、杜爭。然而天下學爲詩者，終宗李、杜，不宗濂洛也。此其故可深長思矣。」《四庫總目》卷一百九十四，《斯文正統·提要》云：「三代以前，文皆載道。三代以後，流派漸分。猶之衣資布帛，不能廢五采之華；食主菽粟，不能廢八珍之味。必欲一掃而空之，於理甚正，而於事必不能行。即如《文章正宗》，行世已久，究不能盡廢諸集，其勢然也。」若此諸論，於《四庫敘文》所云「文質相扶，理無偏廢」之恉，補充說明，略無餘蘊矣。

顧炎武《日知錄》卷三「孔子刪詩」條下云：「眞希元《文章正宗》，其所選詩，一掃千古之陋，歸之正旨。然病其以理爲宗，不得詩人之趣。且如《古詩十九首》，雖非一人之作，而漢代之風，略具乎此。今以希元之所刪者讀之，「不如飲美酒，被服紈與素，」何以異乎唐詩〈山有樞〉之篇；「良人惟古歡，枉駕惠前綏，」蓋亦〈邶詩〉「雄雉于飛」之義。「牽牛織女」，意仿〈大東〉；「兔絲女蘿」，情同〈車舝〉。十九作中，無甚優劣。必以防淫正俗之旨，嚴爲繩削，雖矯昭明之枉，恐失國風之義。六代浮華，固當芟落，使徐、庾不得爲人，陳、隋不得爲代，無乃太甚，豈非執理之過乎！」卷二十一，「書法詩格」條下又云：「眞德秀之《文章正宗》，凡近體之詩皆不收。是今之律詩，不足爲詩也。」顧氏所言，至爲平允，深中眞氏《文章正宗》之失。可知詩文之道，固與理學異趣。宋元以來編總集者，必操正邪之見以繩詩文，固亦一大障蔽也。

至明萬曆以後，儈魁漁利，坊刻彌增。剽竊陳因，動成巨帙。併無門徑之可言，姑存其目，爲冗濫之戒而已。

明代刻書之濫，昔人多已言之。益以書肆射利，編印尤繁。勢不得不假託名流以傳其書，萬曆以來，斯風尤盛。如《翰墨選注》十二卷，《鉅文》十二卷，則託名屠隆；《中原文獻》二十四卷，則託名焦竑；《明文雋》八卷，則託名袁宏道。斯固僞跡昭彰，人所共知者也。其他如《翰墨鼎彝》、《吟堂博笑集》、《二十六家唐詩》、《三蘇文粹》、《賦苑》、《諸儒文要》之類，皆不著編輯者名氏，但標某樓某堂選刻而已。斯併明末書賈所爲，以備場屋策論之用者。

《四庫總目》於此等書但存其目，亦足以考見一代書林之病弊已。

詩文評類敘

文章莫盛於兩漢。渾渾灝灝，文成法立，無格律之可拘。建安黃初，體裁漸備，故論文之說出焉。《典論》其首也。

《魏志·文帝紀》：「初、帝好文學，以著述爲務。自所勒成垂百篇。」注引《魏書》曰：「帝初在東宮，疫癘大起。時人凋傷，帝深感歎。與素所敬者大理王朗書曰：『生有七尺之形，死惟一棺之土。唯立德揚名，可以不朽；其次莫如著篇籍。疫癘數起，士人凋落；余獨何人，能全其壽？故論撰所著《典論》、詩賦蓋百餘篇。』」注又引胡沖《吳曆》曰：「帝以素書所著《典論》及詩賦餉孫權，又以紙寫一通與張昭。」可知《典論》一書，固曹丕一生精心之作，而自重之。魏明帝太和四年，詔太傅三公以文帝《典論》刻石立於廟門之外，俾與石經永示來世。故《隋書·經籍志》子部儒家類，既著錄《典論》五卷，而經部小學類又著錄一字石經《典論》一卷。然其書終歸早佚，黃奭《漢學堂叢書》中有輯本。

其勒為一書，傳於今者，則斷自劉勰鍾嶸。勰究文體之源流，而評其工拙；嶸第作者之甲乙，而溯厥師承；為例各殊。至皎然《詩式》，備陳法律；孟棨《本事詩》，旁採故實；劉攽《中山詩話》、歐陽修《六一詩話》，又體兼說部。後所論著，不出此五例中矣。

劉勰所撰《文心雕龍》十卷，自〈原道〉以下二十五篇，論文章體製；〈神思〉以下二十四篇，論文章工拙；合〈序志〉一篇為五十篇。鍾嶸所撰《詩品》三卷，所品古今五言詩，自漢魏以來一百有三人。論其優劣。分為上中下三品。每品之首，各冠以序。皆妙達文理，可與《文心雕龍》並稱。《詩式》一卷，舊本題唐釋皎然撰。皎然有《杼山集》，四庫已著錄，此本即附載集末。陳振孫《書錄解題》，載《詩式》五卷，《詩議》一卷，唐僧皎然撰，以十九字括詩之體。今附載集末為書止一卷者，殆非完帙矣。《本事詩》一卷，唐孟棨撰。採歷代詞人緣情之作，敘其本事，分情感、事感、高逸、怨憤、徵異、徵咎、嘲戲七類。所記惟樂昌公主、宋武帝二條爲六朝事，餘皆唐事也。《中山詩話》一卷，宋劉攽撰。攽兄弟以博洽名一世，而吟詠則不甚著，惟此論詩之語獨傳。宋人所引，多稱劉貢父詩話。此以郡望標目，蓋後人所追題也。攽在元祐諸人之中，學問最有根柢，考證論議，可取者多，固非庸常以空談說詩者可比耳。《六一詩話》一卷，宋歐陽修撰。前有自題一行，稱退居汝陰時，集之以資閒談。蓋熙寧四年致仕以後所作，越一年而修卒，乃晚年最後之筆也。詩話莫盛于宋。其傳於世者，以修此編爲最早。其書以論文爲主，而兼記本事。諸家詩話之體例，遂相沿而變爲說部筆記。綜其所言，固不限於談詩矣。

宋明兩代，均好爲議論。雖宋人務求深解，多穿鑿之詞；明人喜作高談，多虛憍之論。然汰除糟粕，採擷菁英，每足以考證舊聞，觸發新意。《隋志》附總集之內，《唐書》以下，則並於集部之末，別立此門。豈非以其討論瑕瑜，別裁眞僞，博參廣考，亦有裨於文章歟！

此段首六句極言宋明兩代學弊，是矣。然其好爲議論，非盡發之於詩話也。況宋人詩話，信多佳者，又未可與明人之作並論也。近世劉聲木《萇楚齋續筆》

卷一，有曰：「詩話始於宋歐陽修《六一詩話》。雖宋人詩話，雜記他事，往往體參小說。然予觀宋人自撰詩話，收入四庫者，僅廿餘家。類皆能自抒心得，語多中肯。言簡意賅，不事鋪張，洵可爲法。袁簡齋謂宋人詩可存，詩話可廢，實爲謬論。」此劉氏有得之言也。大抵自詩話體兼說部以後，實已成爲筆記之一種。所記彌廣，足以裨益見聞、考證舊事者，所在皆是。中惟明人之作，稍涉濫雜，空談爲多，未足以厭人意。至清世講求樸學，乾嘉諸儒，亦有自造詩話者。若洪亮吉之《北江詩話》，阮元之《定香亭筆談》、《廣陵詩事》之類，則又語關學術，事涉儒林。博參廣考，豈第有裨於品論詩文哉！

詞曲類敍

詞曲二體，在文章技藝之間。厥品頗卑，作者弗貴。特才華之士，以綺語相高耳。然三百篇變而古詩，古詩變而近體，近體變而詞，詞變而曲，層累而降，莫知其然。究厥淵源，實亦樂府之餘音，風人之末派。其於文苑，同屬附庸，亦未可全斥爲俳優也。

顧炎武《日知錄》卷二十一，「詩體代降」條云：「《三百篇》之不能不降而《楚辭》，《楚辭》之不能不降而漢魏，漢魏之不能不降而六朝，六朝之不能不降而唐也，勢也。」此言文學之遞變，乃時代之必然趨勢。唐時詩分古今體，因名律詩、絕句爲近體詩。由近體詩變而爲詞，由詞變而爲曲，亦勢所必至耳。漢武帝時，定郊祀之禮，乃立樂府，以李延年爲協律都尉，樂府之名始此。其後朝廟所用樂章，皆謂之樂府。又其後歌曲皆稱樂府。如漢高祖之〈大風歌〉，謂之〈三侯之章〉；項羽之〈垓下歌〉，謂之〈力拔山操〉。其他如鐃歌鼓吹，凡被於絃管者，皆以樂府名之。唐宋之長短句，金元之南北曲，亦樂府變體也。詞始於唐，其初止有小令，後乃有慢調，南北宋爲最盛。當時即以爲樂府，被之絃管者也。

詞曲二體，原皆樂府之支流。特並因聲度詞，審調節唱，舉凡句度長短之數，聲韻平上之差，莫不依已成之曲調爲準。復因所依之曲調，隨音樂之轉移，而詞與曲遂分爲二。然循流溯原，其實固無大殊。宋翔鳳《樂府餘論》云：「宋元之間，詞與曲一也。以文寫之則爲詞，以聲度之則爲曲。」是已。詞、曲皆有曲度，故謂之塡詞，又稱倚聲。並先有聲而後有詞，非若古樂府之始成徒歌，終由知音者爲之作曲，被諸絃管也。

自南宋歌詞之法式微，而南北曲先後繼起。唐宋以來，有大曲，有轉踏，且歌且舞，漸具戲劇之形式。至金元而有院本，有諸宮調，以次演化爲雜劇，爲傳奇，有科白，兼歌舞，儼然成爲舞臺劇，故昔人以俳優目之也。陶宗儀《輟耕錄》云：「唐有傳奇，宋有戲曲、諢詞、小說，金有院本、雜劇，其實一也。」蓋以曲本爲依據，而益以表演之形式，則變爲戲劇矣。

今酌取往例，附之篇終。詞曲兩家，又略分甲乙。詞爲五類：曰別集，曰總集，曰詞話，曰詞譜，曰詞韻。曲則惟錄品題論斷之詞，及《中原音韻》，而曲文則不錄焉。王圻《續文獻通考》，以《西廂記》、《琵琶記》俱入經籍類中，全失論撰之體裁，不可訓也。

元周德清撰《中原音韻》二卷。其例以平聲分陰陽，而以入聲分隸三聲。蓋樂府既爲北調，則聲韻亦宜用北音，其書全爲北曲而作也。明王圻撰《續文獻通考》二百五十四卷，以續馬端臨之書，而稍更其門目。意欲于《通考》之外，兼擅《通志》之長，而《西廂記》、《琵琶記》，皆著錄焉。《西廂記》，元曲名，王實甫撰。因唐元稹之《會眞記》而演爲傳奇也。世傳實甫作《西廂記》至「碧雲天，黃花地，西風緊，北雁南飛，」構思甚苦，思竭仆地遂死。其下皆關漢卿續成之，爲元曲中之最有名者。《琵琶記》，元南曲腳本，高則誠撰。則誠與王四友善，勸之仕。登第，即棄其妻，而贅于不花太師家。則誠惡之，因作此記以諷。名曰琵琶者，取其頭上四王爲王四之隱語。元人呼牛爲不花，故謂之牛太師也。見明何元朗《曲論》。

《四庫總目》卷一百九十九，《御定歷代詩餘・提要》有云：「考梁代吳聲歌曲，句有短長，音多柔曼，已漸近小詞。唐初作者雲興，詩道復振，故將變而不能變。迨其中葉，雜體日增，於是竹枝、柳枝之類，先變其聲，望江南、調笑令、宮中三臺之類，遂變其調。然猶載之詩集中，不別爲一體。洎乎五季，詞格乃成。其歧爲別集，始於馮延巳之《陽春詞》；其歧爲總集，則始於趙崇祚之《花間集》。自宋初以逮明季，沿波迭起，撰述彌增。」《碧雞漫志・提要》有云：「《三百篇》之餘音，至漢而變爲樂府，至唐而變爲歌詩。及其中葉，詞亦萌芽。至宋而歌詩之法漸絕。詞乃大盛。其時士大夫，多嫻音律，往往自製新聲，漸增舊譜，故一調或至數體，一體或有數名，其目幾不可殫舉，又非唐及五代之古法。迨金元院本既出，併歌詞之法亦亡。文士所作，僅能按舊曲平仄，循聲塡字。自明以來，遂變爲文章之事，非復律呂之事矣。」《欽定詞譜·提要》有云：「詞萌於唐，而大盛於宋。然唐宋兩代，皆無《詞譜》。蓋當日之詞，猶今日里巷之歌，人人解其音律，能自製腔，無須於譜。其或新聲獨造，爲世所傳，如霓裳羽衣之類，亦不過一曲一調之譜。無裒合衆體，勒爲一編者。元以來南北曲行，歌詞之法遂絕。姜夔《白石詞》中，閒有旁記節拍，如西域梵書狀者，亦無人能通其說。今之詞譜，皆取唐宋舊詞，以調名相同者互校，以求其句法字數；取句法字數相同者互校，以求其平仄。其句法字數有異同者，則據而注爲又一體；其平仄有異同者，則據而注爲可平可仄。以此法推究，得其崖略，定爲科律而已。」《欽定曲譜·提要》有云：「自古樂亡而樂府興。後樂府之歌法，至唐不傳。其所歌者，皆絕句也。唐人歌詩之法，至宋亦不傳，其所歌者皆詞也。宋人歌詞之法，至元又漸不傳，而曲調作焉。考《三百篇》以至詩餘，大都抒寫性靈，緣情綺靡。惟南北曲則依附故實，描摹情狀，連篇累牘，其體例稍殊。然國風〈氓之蚩蚩〉一篇，已詳敘一事之始末，樂府如〈焦仲卿妻詩〉、〈秋胡行〉、〈木蘭詩〉，並鋪陳點綴，節目分明；是即傳奇之濫觴矣。王明清《揮麈錄》，載曾布所作〈馮燕歌〉，已漸成套數，與詞律殊途。沿及金元，此風漸盛。其初被以弦索，其後遂象以衣冠；其初不過四折，其後乃動至數十齣。大旨亦主於敘述善惡，指陳法戒，使婦人孺子，皆足以觀感而奮興，於世教實多所裨益。雖迨其末派，矜冶蕩而侈風流，輾轉波頹，或所不免。譬如國風好色，降而爲玉臺香奩，不可因是而罪《詩》，亦不可因是而廢《詩》也。」觀此數論而詳繹之，則於詞曲之源流，詞譜之體製，戲曲之演變，皆能憭悟於心矣。

跋

目錄之學，肇端於劉向歆父子典校秘籍之時，劉氏父子，所撰《別錄》、《七略》之書，論其體制，大要有三，一曰篇目，二曰敘錄，三曰小序。篇目者，所以考一書之源流；敘錄者，所以考一人之源流；小序者，所以考一家之源流。三者之用，皆所以辨章學術者也。

然自《別錄》、《七略》失傳之後，後世目錄書籍，已罕能考知篇目之功用，是以自《漢書藝文志》、《隋書經籍志》以下，馴至宋代王堯臣、歐陽修、晁公武、陳振孫等人所撰目錄之書，或偏重敘錄，或詳於小序，要皆不能恢復《別錄》、《七略》體制之全者也。

迄於清代乾隆年間，集朝廷之力，纂修《四庫全書》，時經九載，成書一萬八千餘卷，書成，又命紀曉嵐等，撰爲《總目》凡二百卷，即世所稱《四庫全書總目提要》者也，其書於敘錄與小序部分，特爲詳審。其中敘錄一項，改稱提要，於所收每一書籍，或考證作者之生平，或辨析書中之義趣，或檢覈內容之疑似，蓋於古今數千種著述之旨要，皆能剖析毫芒，詳論其是非者也。至於小序一項，隨其種別，釐爲四部，析爲四十四類，每類小序，各敘一家之源流發展，專論一派之優劣得失，蓋於數千年學術變遷之大勢，皆能挈其綱領，有條而不紊者也。是以後世言目錄之效用者，亦咸推《四庫提要》一書，最能集斯學之大成也。

《四庫全書總目》一書，撰成於乾隆四十七年，自是以下，漢學興盛，考據篤實，提要一項，每有不盡饜於人意者，後世學者，覓隙攻錯，補其未備，而胡玉縉之《四庫提要補正》，余嘉錫之《四庫提要辨證》，尤爲精確。《四庫總目》中提要一項，得二家書之輔佐，其爲用也，亦愈益廣大焉。

至於《四庫總目》中小序一項，四部之下，四十四類，其於古今學術之變遷，雖能總持少文，明其梗概，然欲詳究本末，洞澈精微，則似猶有待焉。

沅江張舜徽先生，自幼篤學，趨庭受教，長遊燕京，遍訪通人，治學自文字訓詁入手，博觀典籍，而於鄭漁仲章實齋二家之學，尤爲篤好。數十年間，講學上庠，著述等身，其最要者，如《周秦道論發微》、《漢書藝文志通釋》、《說文解字約注》、《鄭學叢著》、《廣校讎略》、《史學三書平議》、《顧亭林學記》、《清代揚州學記》、《清儒學記》、《清人文集別錄》、《中國古代史籍校讀法》等，則早已風行海內，深受學界之重視矣。

舜徽先生所撰《四庫提要敘講疏》一書，其於《四庫總目》中四十四類小序，四部總序，一一爲之詳加疏解，細作箋釋，明其淵源，暢其流別。讀是書者，手此一編，而於《四庫總目》所有各序，委實有觀瀾索海，探本尋源之樂，亦不啻周覽數十種學術流變之發展史也，則其有功於後學者，豈淺鮮哉！

臺灣學生書局，將取舜徽先生是書，在臺重印，以廣流傳，執事先生，陳君仕華，知余嗜讀舜徽先生之書，因囑略綴數語，以當紹介，余遂草成茲篇，用跋其書之末，並爲世之同嗜舜徽先生書者告焉。

歲次辛巳十二月　**胡楚生**識於東吳大學中文系

沾溉學林　垂範示典

——張舜徽《四庫提要敘講疏》讀後

周積明　雷平

沅江張舜徽先生（一九一一—一九九二）治學淹貫四部、博通古今，乃當之無愧的學術大師。舜徽先生幼承庭訓，十分重視張之洞《書目答問》等目錄書，又嘗從姑父、目錄學家余嘉錫先生遊，耳濡目染，故治學亦重目錄，講究「辨章學術、考鏡源流」，並多有撰著。《四庫提要敘講疏》（以下簡稱《講疏》）即是舜徽先生沾溉學林的不朽著作。

《講疏》係由舜徽先生二十世紀四〇年代在蘭州的講義修訂結撰而成。自序謂：「往余為大學文科講授『國學概論』，即取《四庫全書總目提要敘》四十八篇為教本」。所謂四十八篇，乃指《四庫全書總目》的經、史、子、集總敘及四部之下的各類小敘，計有經部十類，史部十五類，子部十四類，集部五類。這些「敘」貫通和蘊含著豐富的文化訊息，是解讀中國古代學術與思想文化的重要門徑。舜徽先生十分重視《四庫提要》，服膺張之洞《輶軒語》中「將《四庫全書總目提要》讀一過，即略知學問門徑」的論斷。在卷帙浩繁的《四庫提要》中，舜徽先生又獨具慧眼地體察到「敘」的重要性，提出「余則以為此四十八篇者，又門徑中之門徑也」。

晚學拜讀《講疏》，時時感受先生論學的博大氣象與微言卓識，偶有觸發，筆之於書，期望能為研讀張著者略示門徑。

一、研究《四庫總目》的新思路、新方法

《四庫全書總目》撮舉《四庫全書》收錄、存目書原委大凡，不僅是中國古代規模最為宏大、編制最為出色的一部書目，而且以其縱橫八極的「剖析條流、斟酌古今、辨章學術、高挹群言」，成為中國古代最為重要的一部學術批評史和學術文

化史，歷來被名家奉為讀書之「門徑」或「指南」加以推薦。但由於「成於眾手，迫之以期限，繩之以考成」，《總目》「不免因陋就簡」，「紕漏之處，難可勝言」。道咸以降，學術界即對《總目》多有批評，而研究者亦不乏其人，關於《總目》之研究遂日漸成為「四庫學」的主流內容，而其研究的路數則大抵是訂正訛誤、補苴不足，研究之重心則在考鏡與辨析作者之歸屬、成書之始末、內容之分合、流傳之完殘、傳本之真偽。余嘉錫（一八八三—一九五五）先生的《四庫提要辯證》即是這一研究領域的代表性論著。余氏十七歲得《四庫全書總目提要》，「日夜讀之不厭」，有所疑即引書考證，有所得則寫於書端，三十年間，所積漸多，乃輯而為書，一九三七年印行史部和子部十二卷，一九四七年又以《四庫提要辯證》而當選中央研究院院士。在余先生研究《四庫提要》並於北京各高校講授目錄學時期，張舜徽先生正因少年失怙「被四姑父余嘉錫招往北京，住於其家」❶，由此得聞余

❶ 張君和：〈張舜徽先生小傳〉，《張舜徽學術論著選》，華中師範大學出版社，一九九七年，頁六四五。

先生治學精義，並在余先生引薦下結識不少京城通人碩學，得到多方指教。一九四六年，舜徽先生應蘭州大學辛樹幟先生之邀，至蘭州大學中文系任教。八月，舜徽先生為講授「國學概論」課程，編成講義，即為《講疏》。舜徽先生此書不同於余嘉錫先生之《四庫提要辯證》，而是別開蹊徑，有兩點值得注意：

其一，不以「目錄學」為限，而是將《總目》納入到「國學」的宏大視野內予以闡發。

舜徽先生此稿是為「國學概論」課程而結撰。但凡冠以「概論」性質的課程，即與一般的個人著述不同，其宗旨乃在於讓受教者能對所接觸的知識體系有「面」上的瞭解。「國學」之概念與內涵向來爭議較多，由此也造成「國學概論」課程體系設置的差異性。張舜徽先生選擇「四庫全書總目提要敍」作為「國學概論」課程的講授內容，包羅古今典籍，撮舉學術大要，可謂是獨闢其徑。乾隆年間《四庫全書》的纂修是一項巨大的文化工程。儘管在修書的過程中，焚毀、竄改大量典籍，但無論如何，清中葉以前中國文化的重要典籍大體上已收羅進《四庫全書》，並在特定的視野中加以系統的部勒，從而構成中國古代最為龐大與完備的知識世界。

《四庫全書總目》與《四庫全書》珠聯璧合，成為中國傳統學術的集大成之作。研究與講論「國學」而從《總目》入手，實為法乎其上之舉。舜徽先生於自序中稱引張之洞之論：「讀《四庫全書總目提要》一過，即略知學問門徑」，足見其心目中對此門課程之期望是引導學生「入國學之門徑」，故其研究與疏解《總目》之抱負與目標，與傳統的糾偏補苴之研究路數判然有別。

其二，取「疏證」之講論形式，既條源別流、疏通申發，又加以高屋建瓴之批評。

舜徽先生矚目《四庫全書總目》的總敘與類敘，視之為學問的「門徑之門徑」。先生以為，如能對《四庫提要敘》「熟習而詳繹之，則于群經傳注之流別，諸史體例之異同，子集之支分派衍，釋道之演變原委，悉憭然於心，於是博治載籍，自不迷于趣向矣。」為此，舜徽先生以「疏證」之講論形式對《總目》總敘與類敘加以解析。

唐宋時對前人的注再加解說的新注，官修者稱「正義」，私撰者稱「疏」。此體，先釋經，後釋注，例不破注，即選定某家之注而作疏，只能闡發、補充、解說而不能與注相抵牾。清人作新疏，仍沿用「正義」和「疏」之名，但往往打破疏不破注之例，擴大注釋內容，詳考名物制度，超過舊疏。註疏通常包括述語法、明章句、釋典制、訂史實、推義理、注出處等內容。

乾隆年間，戴震撰《方言疏證》，「廣搜群籍之引用《方言》及《注》者，交互參訂」，而「逐條詳證之」。其後，段玉裁踵武乃師「疏證」義例而成《廣雅疏證》，引用古代辭書中對於字詞的釋義，也引用了其他人對辭書釋義的闡釋評說，還引用大量典籍作為佐證，從而大大擴展了註疏的範圍。近人楊樹達取「疏證」體例，於一九四二年在湖南大學任教時開始編寫《論語疏證》。楊先生在〈凡例〉中說：「本書宗旨疏通孔子學說，首取《論語》本書之文前後互證，次取群經諸子及四史為證。」其時，舜徽先生正任教藍田國師，與楊遇夫先生過往從密，從楊先生處獲知《論語疏證》體例當無可爭議。舜徽先生之《講疏》在體例上受楊遇夫先生《論語疏證》啟發，但亦有創新之處。舜徽先生採取的敘述體例是「首取《提要》本書以相申發，次采史傳及前人舊說藉資說明，末乃附以愚慮所及而討論之。」如《提要·地理類敘》敘述古今地理之書，分為十類，即：「首宮殿疏，尊宸居也。

次總志，大一統也。次都會郡縣，辨方域也。次河防，次邊防，崇實用也。次山川，次古蹟，次雜記，次遊記，備考核也。次外紀，廣見聞也」。《講疏》評論說：「《四庫提要》綜錄古今地理之書，區分門類，以類相從，可謂剖析有條理矣，顧吾以十類之中，總志及都會郡縣，宜合為一而擴充之，在史部中別立方志一門，以與地理並列。自來薄錄之家，不立方志獨為一類，乃書目中缺陷也。亦由前人不重視方志之探研，僅目為地理書之附庸耳。」其間既有疏通申發，又有個人評斷。又如，《提要·地理類敘》稱：「王士禎稱《漢中府志》，載木牛流馬法；《武功縣誌》載織錦璿璣圖。此文士愛博之談，非古法也。」《講疏》則辨曰：「斯論甚陋，不可為訓。大抵方志取材，以社會為中心，與正史但詳一姓之成敗興替者不同。舉凡風俗習慣、民生利病、物產土遺、奇技異能，一切不載於正史中者，方志皆詳著之。其足裨益國史，亦即在此。《漢中府志》載木牛流馬法，《武功縣誌》載織錦璿璣圖，實有其物，足資考證，筆之於書，有何不可！以文士愛博之談斥之，非也。」故舜徽先生《講疏》一書是對傳統「疏證」的新發揚。

由於《講疏》將《總目》納入到「國學」的宏大視野內予以闡發，又通過「疏證」體例之發揚，引導習《總目》者於「博洽載籍」、憭然源流之際，「自不迷于趣向」，從而為《總目》研究指示了一條新的路徑。

二、研習學術史之門徑

《四庫提要敘》窮源竟流，對中國古代學術的流派、學風、著述體例進行了勾勒，並有得失評判；《講疏》則對《四庫提要敘》進行糾謬、補偏與申發，從而合璧成一部傑出的學術史著述。

㈠疏通學術流變。

《四庫提要》的經、史、子、集四大部總敘，追溯源流，勾勒出四部分類法下知識演變的大致框架，而各類小敘則對每類專門知識的演變進行疏解。兩者相互補充，形成了該門類系統的學術史。對中國古代的學術源流進行了很好的清理。《講疏》或補敘、或糾偏、或駁正《四庫提要敘》，將講疏與原敘合起來讀，即能獲得學術史的全貌。經部總敘勾勒兩千年間經學源流，至為清晰明瞭，但略顯簡約，初學者常有不明就裏之感，舜徽先生則對自漢迄於清的各朝經學演變進行補敘，並間加評論，讓讀者獲得更廣大的視野、更飽滿的知識、更通徹的憬悟。如《提要・經部總敘》論清代經學說「國初諸家，其學徵實不誣，及弊也瑣。」聊聊數語，極其精煉，但又顯得語焉不詳。《講疏》為之補敘：「明亡，昆山顧炎武倡『經學即理學』之說，數朝積弊，為之一振。由是蕭山毛奇齡解《易》說《禮》，太原閻若璩治《尚書》，德清胡渭辨《易圖》，咸崇考據，開清代經學之先聲，秀水朱彝尊、武進臧琳，更究心故訓，立清代經學之基礎。其後吳、皖諸儒繼起，清代經學乃臻於極盛。一人獨治一經、專著一書者，風起雲湧。末流所屆，自不能免於煩辭瑣碎之弊。」如此一疏解，初學者始能了然於心。

《提要・史部總敘》說：「儒者好為大言，動曰舍《傳》以求《經》，此其說必不通；其或通者，則必私求諸《傳》，詐稱舍《傳》云爾」。《講疏》則對儒者的身分與時代加以辨識，謂：「《太平御覽》六百十引桓譚《新論》曰『左氏《傳》之與《經》，猶衣之表裏，相待而成。有《經》而無《傳》，使聖人閉門思之，十年不能知也』。是漢代儒者，固昌言不可舍《傳》以求《經》矣。《四庫總目敘》所指責者，乃唐宋以來經生耳。」

《提要・史部總敘》又敘史部分類云：「今總括群書，分十五類。首曰《正史》，大綱也。次曰《編年》，曰《別史》，曰《雜史》，曰《詔令奏議》，曰《傳記》，曰《史鈔》，曰《載記》，皆參考紀傳者也。曰《時令》，曰《地理》，曰《職官》，曰《政書》，曰《目錄》，皆參考諸志者也。曰《史評》，參考論贊者也。舊有《譜牒》一門，然自唐以後，譜學殆絕。玉牒既不頒於外，家乘亦不上於官，徒存虛目，故從刪焉。」《講疏》則追敘「史學」在古代學術門類中的變化，並分析《四庫總目》所定十五類別的由來：「《漢書・藝文志・六藝略》無著錄史籍之類，而以《世本》、《楚漢春秋》、《太史公》百三十篇，下逮《漢大年紀》之屬，附於《春秋》之後，良以其時史籍無多，不煩別立一門也。其後記事之書日繁，乃不得不自成一類。然如荀勖《中經新簿》以史籍為丙部，李充《晉元帝時書目》又改為乙部，阮孝緒《七錄》有《記傳錄》以統史傳，尚未標明『史部』之名。明標『史部』，自《隋書・經籍志》始。復分為正史、古史、雜史、霸史、起居注、舊事、職官、儀注、刑法、雜傳、地理、譜系、簿錄十三目。其後歷代史志，遞有增損進退。……《四庫總目》斟酌權衡，不無增減，故定為十有五類。」

《提要・雜家類敘》言：「雜之義廣，無所不包。班固所謂合儒、墨，兼名、法也。變而得宜，於例為善。」《講疏》則對雜家之名的緣起加以追溯，曰：「考周秦諸子，未嘗有雜家之名。惟《荀子》嘗言：『雜能旁魄而無用』，楊倞注以雜能為多異術，或即指雜家之徒言之。然當時所言學派，究無此名，而為此學者，亦未嘗標雜家之目。司馬談《論六家要指》，亦無雜家。雜家之名，蓋起於劉歆、班固簿錄群書之時。故所為《七略》、《藝文志》，悉以書分類，不依人分類。其於兼括諸家之書，不能分隸於諸家之下者，盡歸之雜家焉。斯名既立，後之簿錄群書者多因之耳。明季福建晉江黃居中，僑居金陵，銳志藏書，其子虞稷，克承其志，著《千頃堂書目》三十二卷。《明史・藝文志》本之。所錄皆有明一代之書，體例最善。於卷帙木簡、不能成類者，統歸雜家，《四庫總目》即用其例。」又曰：「古之大思想家、大政治家、大軍事家，或奔走遊說於外，或理政治軍於內，何嘗有暇著述？故記載其言論行事之書，多非己出。嚴可均《鐵橋漫稿・書管子後》有云：『先秦諸子，皆門弟子，或賓客，或子孫撰定，不必手著。』其說是也。古之簡策，全賴手鈔，鈔本失傳，其學遂廢。亡佚之多，悉由於此。亦有其說本盛行於一時而衰絕於後世者，如楊朱、墨翟之學，孟子嘗稱『天下之人，不歸楊則歸墨』，則其盛可知矣。而孟子竭力闢之，詆為無父無君，至比之於禽獸。由是習者漸寡，競避其名。故楊朱之說全絕，而墨學亦衰。《四庫類敘》所謂『其名不美，人不肯居』者，此類是也。」

《提要·兵家類敘》云：「其最古者，當以《孫子》、《吳子》、《司馬法》為本，大抵生聚訓練之術，權謀運用之宜而已。」《講疏》則對兵家著作之真偽予以剖析，謂：「孫吳兵法，皆以戰伐攻取，威震鄰邦。見諸行事，不必播之口說。其所著書，蓋皆與之共事或歆慕其學者之所為。二人躬歷戰陣，未必有暇著書也。」又說：「自來兵家之書，與術數相出入，而偽託之籍乃益多。大抵宋以來談兵之書，多託於諸葛亮；明以來術數之書，多託於劉基，此遊士撰述之所以猥雜也。明人於偽託之外，又好杜撰名目，以惑流俗。」

《提要·道家類敘》言：「後世神怪之跡，多附於道家，道家亦自矜其異。要其本始，則主於清淨自持，而濟以堅忍之力」。《講疏》則詳究道家之「流變」，釐清後世對於道家之附會，力辨「道家與道教迴異」，其言云：「周秦道家，與漢以下之道家，復有不同，不可不辨也。周秦道家之理論，本以施之治國。《漢書・藝文志》論及道家，有曰『歷記成敗存亡禍福古今之道，然後知秉要執本，清虛以自守，卑弱以自持，此君人南面之術也』。末一語盡之矣。道家包蘊本廣，諸子多得其一體以為用。」

《講疏》於諸家學說剖析源流，揭示出學術演變的脈絡，可謂之高屋建瓴。

(二)探源著述體例。

舜徽先生注重對著述體例進行辨析。《提要・經部總敘》稱「今參稽眾說，務取持平，各明去取之故，分為十類：曰易、曰書、曰詩、曰禮、曰春秋、曰孝經、曰五經總義、曰四書、曰樂、曰小學」。《講疏》對如上論說申發：「此承《漢書藝文志》、《隋書經籍志》之舊目而稍變通之耳。《漢志》序六藝為九種，即易、書、詩、禮、樂、春秋、論語、孝經、小學也。《隋志》益以圖讖為十類。《漢志》有『五經雜義』入孝經類，《隋志》附五經總義於論語類。《四庫總目》則以五經總義自為一類，廣《論語》為四書、不列圖讖，故仍為十類」。從而指出《總目》經部分類之源頭實在《漢志》與《隋志》。《講疏》又說：「《四庫提要》依時世先後著錄其書名、卷數，復各為提要，繫於每書之下。第其高下，評其得失，而歸於辨章學術、考鏡源流。蓋遠規劉向《別錄》之例，近效晁公武《郡齋讀書志》、陳振孫《直齋書錄解題》之體，而翔實過之，遍及四部，皆有評述，不第論次經部諸書而已。」既追溯了《四庫提要》體例之源頭，又指出了其創新所在。

舜徽先生博通四部之學，而根基則在史學，故《講疏》對《四庫提要敘》的史著體例多有補敘或駁正。

《提要．編年類敘》引劉知幾《史通》歸六家為二體之說，稱「編年、紀傳，均正史也」，又認為「編年一體，或有或無，不能使時代一體，故姑置焉，無他義也。」舜徽先生於「無他義」三字處進行發覆，對紀傳、編年興衰進行分析，指出「蓋紀傳之體，立〈本紀〉以為綱，分〈列傳〉以詳事；典章繁重，則分類綜括以為〈志〉，年爵紛綸，則旁行斜上以為〈表〉，實能兼編年之長而於事無漏，故後世多用其體。若編年之書，事繫於年，人見於事。其有經國大制非屬一年，幽隱名賢未關一事者，則以難為次序，略而不載，故後世病其體之局隘，多缺而勿續。」

其論述回答了後世何以只認紀傳體為正史的疑問，遠比《總目》「無他義也」之說高明。

《提要．紀事本末類敘》說：「古之史策，編年而已，周以前無異軌也：司馬遷作《史記》，遂有紀傳一體，唐以前亦無異軌也。至宋袁樞，以《通鑑》舊文，每事為篇，各排比其次第，而詳敘其始終，命曰《紀事本末》，史遂又有此一體。」這段論說實則是對古代史書體例變化之總述，但失之簡略，對紀事本末體產生的原因、文體特徵，都抉發不夠。《講疏》則予以補充，對紀事本末體出現的緣由加以闡發：「大抵宋人治學，好勤動筆。每遇繁雜之書，難記之事，輒手抄存之，以備觀省，其於群經諸子，莫不皆然。袁氏之抄《通鑑》，初無意於著述，及其書成法立，遂為史學闢一新徑，亦盛業也。」舜徽先生反對章學誠將紀事本末體溯源至《尚書》的論斷，稱：「宋賢史學，大抵步趨漢儒：司馬《通鑑》，衍荀悅之例者也；鄭樵《通志》，衍太史公之例者也。若紀事本末之書，則實古無是體，而宋人創之。禮以義起，為用尤弘。何必遠攀三古，謂為《尚書》之遺教乎！」

《提要．目錄類敘》言「目錄」之起源云：「鄭玄有《三禮目錄》，此名所昉也。」《講疏》駁正這一觀點，指出：「『目錄』二字連稱，實起於西漢。《漢書·敘傳》云：『劉向司籍，九流以別，爰著目錄，略序洪烈。』《文選》任昉〈為范始興求立太宰碑表注〉引《七略》云：『《尚書》有青絲編目錄。』是劉向、劉歆校書漢成帝時，已有目錄之名，遠在鄭玄《三禮目錄》之前。特為專書目錄，自鄭氏始耳。」舜徽先生明確將「目錄」的出現推源於劉向、劉歆父子，但同時也肯定鄭玄以目錄為專書的開創性。

《提要·地理類敘》論「方志」之源頭曰：「《元和郡縣志》頗涉古蹟，蓋用《山海經》例，《太平寰宇記》增以人物，又偶及藝文，於是為州縣志書之濫觴。」《講疏》辨析說：「方志之起源甚早。遠在周代，百國分立，大者如後世之府、郡，小者僅同州縣耳。《孟子》所謂『晉之《乘》、楚之《檮杌》，魯之《春秋》，其實一也。』以今視之，即最古之方志耳。自隋復有《洛陽記》、《吳興記》、《吳郡記》、《京口記》、《南徐州記》、《會稽記》、《荊州記》等數十種書。此皆後世州縣志書之作。至於分門敘述，成為專門性記載者，尤不可勝數。《隋書·史部·地理類敘》稱『隋大業中，普詔天下諸郡，條其風俗物產地圖，上於《尚書》。故隋代有《諸郡物產土俗記》一百三十一卷，《區宇圖志》一百二十九卷，《諸州圖經記》一百卷。』此乃歷代帝王下詔編纂全國性方志圖經之始。其後如唐代李吉甫所修《元和郡縣志》，宋代樂史所修《太平寰宇記》，皆沿用其體，不得謂二書州縣志之濫觴也。下逮元、明、清三朝所修《一統志》，亦循斯例矣。」其論可謂慧眼獨具。

《提要．譜錄類敘》以宋尤袤《遂初堂書目》創立《譜錄》一門。《講疏》則辨此說之非，曰：「宋尤袤所撰《遂初堂書目》創立譜錄一門，《四庫總目》因之，而其實非也。大抵此門之書，皆所以類萬物之情狀，納諸類書，適得其所，自不必別為一類。宋末編書目者，馬端臨尤明斯義，故以陶弘景《古今刀劍錄》入之類書，此正其精到處。而《四庫總目》非之，蓋未達斯旨也。《四庫》雖立譜錄一門，而於僻籍小書無可繫屬者，往往而竄，附錄《雲林石譜》於器物之末，即其名例。若能統歸類書，則斯弊祛矣。然自來著錄之家，於類書一門，但統錄《書鈔》、《御覽》諸編，而不復別析細目。惟孫星衍《祠堂書目》區為事類、姓類、書目三種，體例獨善。苟能循斯義例，於三種之外，別增物類一目，則凡譜錄諸書，悉可歸納靡遺矣」。

再如，《提要・別集類敘》稱：「集始於東漢。」《講疏》駁正說：「《隋書・經籍志》云『別集之名，蓋東京之所創也』。《四庫》敘文承用其說，而其實非也。《漢志》之「詩賦略」，即後世之集部也。觀其敘次諸家之作，每云某某賦若干篇，各取其傳世之文，家各成編，斯即別集之權輿。」其後，《講疏》又辨析別集之「名」與「實」，指出劉向、歆父子校書秘書閣時，雖無集之「名」，而有集之「實」，故集之創始，必溯源於劉氏父子，而不得謂「至東漢而後有此體制也。」舜徽先生關於「集」之創始的論述十分精闢，為不刊之論。

㈢**辨章學術大端**。

舜徽先生治學注重「辨章學術、考鏡源流」，《八十自述》稱「平生致力於斯，所造亦廣」。《講疏》即體現了舜徽先生辨章學術大端的治學特點。

《講疏》力辨孔子刪詩說。孔子與六經的關係歷來眾說紛紜。《提要・經部總敘》謂：「經稟聖裁，垂型萬世；刪定之旨，如日中天，無所容其贊述。」《講疏》反對此說，指出：「此昔人尊經崇孔之說也。司馬遷以來，儒者莫不言孔子刪

《詩》、《書》，定《禮》、《樂》，然無徵於《論語》，復不見稱於孟、荀，秦火以前，無此說也。」如此，則四庫館臣所謂「經稟聖裁」、「刪定之旨」云云，不過人云亦云剿襲陳說。《講疏》進一步申發說「《論語》為孔門所同記，於其師一言一行，乃至飲食衣服之微，喜樂哀戚之感，無所不記。使果有刪定之弘業，何其弟子無一語及之？」又引龔自珍《六經正名》中的名言作為佐證：「仲尼未生，先有六經；仲尼既生，自明不作。」換言之，《詩》、《書》、《禮》、《樂》四經都是孔子之前就已存在的舊典。孔子「特取舊典為及門講習之，所謂『述而不作』也。」《講疏》還指出孔刪詩說是漢代罷黜百家、獨尊儒學以後的事，是「高遠其所從來，以自取重於世」的文化習性使然，故學者不可不明辨。

《講疏》力辨《周禮》之書名。《提要．禮類敘》曰：「古稱議禮如聚訟。然《儀禮》難讀，儒者罕通，不能聚訟；《禮記》輯自漢儒，某增某減，具有主名，亦無庸聚訟，所辯論求勝者，《周禮》一書而已。」舜徽先生闡發說：「竊以為古之以『周』名書者，本有二義：一指周代，一謂周備」。又引《漢志》著錄之書多有以「周」名者，斷言云：「專言設官分職之書，而名之為《周禮》，亦取周備之義。蓋六國時人雜采當時各國政制編纂而成，猶後世之《官制彙編》耳。由於集列邦之制為一書，故彼此矛盾重複之處甚多，與故書不合者猶廣。」「學者如能審斷《周禮》標題，實取周備無所不包之義，目為六國時人輯錄之《官制彙編》，既非周公所作，亦非劉歆一人所能造，則群喙自息，眾論可平矣。」舜徽先生此處係一家之言，於《周禮》討論中獨樹一幟。

又辨「術數」不自秦漢以後始興。如《提要·術數類敘》稱「術數之興，多在秦漢以後。要其旨不出乎陰陽五行，生剋制化。實皆《易》之支派，傅以雜說耳。」《講疏》則予以駁正：「陰陽五行之說，所起甚早，不得謂秦漢以後始有之……《漢志》論及古者數術之士，則謂『春秋時，魯有梓慎，鄭有裨竈，晉有卜偃，宋有子韋；六國時，楚有甘公，魏有石申夫；漢有唐都』。則秦漢以前，已有以數術馳名周末者矣。即秦始皇所尊信之盧生、侯生，亦當時之方士也，以其行騙詐而久不能致奇藥，大興坑殺之獄，《史記·儒林列傳》稱之為『坑術士』，乃實錄也。焉得謂術數之興，多在秦漢以後乎？」其說確鑿可信，可謂定論。

又辨佛教傳入中國不自東漢明帝始。《講疏》在《提要·釋家類敘》條下曰：

「佛教起自印度，始於釋迦牟尼。佛姓釋迦氏，略稱釋氏，奉其教者稱釋教。儒家排斥佛道，遂並稱二氏。韓愈《昌黎集・重答張籍書》云『今夫二氏行乎中土也，蓋六百年有餘矣』。是二氏之名，唐時已盛行。佛教由西域傳入中國，舊說皆以為在後漢明帝之世。然漢哀帝元壽元年，博士弟子秦景從大月氏王使伊存口授浮屠經，當為佛教輸入之始。據《後漢書》記載，光武帝子楚王英，早已信佛，此亦佛教輸入不始於明帝時之證。」

又辨「小學」之源流。《講疏》在《提要・小學類敘》條下分疏曰：「小學一目，歷代沿用，而內容各有不同。蓋有漢世之所謂小學，有宋人之所謂小學，有清儒之所謂小學，自不可強而一之，學者不容不辨。劉《略》班《志》以《史籀》、《倉頡》、《凡將》、《急就》諸篇列為小學，不與《爾雅》、《小雅》、《古今字》相雜。尋其遺文，則皆繫聯一切常用之字，以四言、七言編為韻語，便於幼童記誦，猶今日通行之《千字文》、《百家姓》之類，此漢世之所謂小學也。迨朱子輯古人嘉言懿行，啟誘童蒙，名曰《小學》，其後馬端臨《經籍考》列之經部小學類，此宋人之所謂小學也。《四庫總目》以《爾雅》之屬歸諸訓詁，《說文》之屬歸諸文字，《廣韻》之屬歸諸韻書，而總題曰小學，此清儒之所謂小學也。然考之晁公武《郡齋讀書志》，已謂文字之學有三：《說文》為體製之書，《爾雅》、《方言》為訓詁之書，沈約《四聲譜》及西域反切之學為音韻之書。然則以彼三者當小學之目，實亦源於宋人，又不自清儒始。」

(四)示以治學方法。

《講疏》於治學方法多有揭示，茲臚列如次：

其一、治學「必有專宗」。

如《講疏》論治《周易》應從「立身處世」入手，如此方能體會到《周易》之大用，其論云：「《易》之大用，在乎立身處世之道也。如乾象曰：『天行健，君子以自強不息。』坤象曰『地勢坤，君子以厚德載物』。自乾、坤以逮既濟、未濟等六十四卦，皆有此等語，其意固自有在。孔子曰：『加我數年，五十以學《易》，可以無大過矣』。可知仲尼學《易》之旨，惟求寡過而已。清乾嘉時，治漢《易》者競起。翁方綱獨曰：『今日讀《易》，惟應翫辭以求聖人教人寡過之旨。至於窮神知化，聖人尚謂過此以往，未之或知。後之學者，焉得而仰窺之』。

其後陳澧亟稱此說可為說《易》者箴砭，斯固治《易》之康衢矣」。由此而申發曰：「大抵簿錄群書者，不嫌並蓄；而伏案鑽研者，必有專宗。否則泛濫無歸，終鮮所得，不可謂善學也。清初黃宗羲作《易學象數論》，深斥漢之京、焦，宋之陳、邵，獨取王《注》、程《傳》之說，蓋以魏晉人《易說》，雖祖尚玄虛，而能盡掃象數，獨標卦爻承應之義。視費直以《彖》、《象》、《繫辭》、《文言》解說上下經，若合符契，固猶漢師遺法也。乾隆時樸學大師戴震嘗言『《周易》當讀程子《易傳》。』然則誦習王《注》程《傳》，固今日治《易》者守約之道也。」

其二，治學須「求其通」。

《提要·樂類敘》：「今區別諸書，惟以辨律呂、明雅樂者，仍列於經。其謳歌末技，弦管繁聲，均退列《雜藝》、《詞曲》兩類中。用以見大樂元音，道侔天地，非鄭聲所得而奸也。」《講疏》申發云：「《四庫總目》區別諸書，取謳歌末技、絃管繁聲，列入《雜藝》、《詞曲》兩類，是已；而皆目為鄭聲，則非也。大抵事物之興，古簡而今繁，古代樸素而後世華靡；萬類皆然，無足怪者。太古之樂，惟土鼓、蕢桴、葦籥而已，後乃益之以鐘磬絃管，亦有來自域外以補國樂之所不足者，於是音樂始臻極盛。如但一意尊古卑今，舉凡今之所有而古之所無者，悉目為不正之聲，概加屏棄，則違於事物進化之理遠矣。此學者辨藝論古，所以貴能觀其通也。」《講疏》又在《提要．天文算法類敘》下疏解說：「觀其（即梅文鼎）所為《中西算學通自序》有曰：『學其學者，或張皇過甚，無暇深考乎中算之源流，輒以世傳淺術，謂古九章盡此，於是薄古法為不足觀。而或者株守舊聞，遽斥西人為異學。兩家之說，遂成隔礙，此亦學者之過也。余則以為學問之道，求其通而已。吾之所不能通，而人則通之，又何間乎古今，何別乎中西。』此論至為弘通，足以破深閉固拒故步自封之陋。其於承先啟後，溝通中西，厥功偉矣。」

其三，治學須博收慎取。

《提要．子部總敘》言「夫學者研理於經，可以正天下之是非；徵事於史，可以明古今之成敗；餘皆雜學也。然儒家本六藝之支流，雖其間依附草木，不能免門戶之私。而數大儒明道立言，炳然具在，要可與經史旁參。其餘雖真偽相雜，醇疵互見，然凡能自名一家者，必有一節之足以自立，即其不合於聖人者，存之亦可為鑒戒。雖有絲麻，無棄菅蒯；狂夫之言，聖人擇焉。在博收而慎取之爾。」《講疏》則申發說：「此言經史乃學問根柢，儒家固可與經史旁參；其他諸家，亦各有優長，不能盡廢也。《四庫總目》卷一百三十六，《子史精華提要》云：『四庫之中，惟子史最為浩博，亦最為蕪雜。蓋紀傳、編年以外，凡稗官野記，皆得自託於史，儒家以外，凡異學方技，皆得自命為子。學者雖病其冗濫，而資考證、廣學問者，又錯出其中，不能竟廢，卷帙所以日繁也』。明乎斯旨，而能博收慎取，庶可以通萬方之略矣。」

《講疏》揭櫫的諸種治學方法可謂之「授人以漁」、「渡人金針」，真心向學者當終身踐行。

三、通達之氣象

舜徽先生治學以通達著稱。《提要．儒家類敘》稱：「凡以風示儒者無植黨，無近名，無大言而不慚，無空談而鮮用。則庶幾孔、孟之正傳矣。」舜徽先生服膺此論，於《講疏》中說：「樹黨、爭名、好大言、喜空談，此宋明以來儒學之沉痾也。《四庫總目敘》揭示數語，可謂對症下藥矣。」通觀《講疏》，可見摒棄偏見、通達公允之氣象，其表現有數端：

㈠摒棄門戶成見的通達情懷。

《提要・孝經類敘》：「故今之所錄，惟取其詞達理明，有裨來學，不復以今文、古文區分門戶，徒釀水火之爭。蓋注經者明道之事，非分朋角勝之事也。」舜徽先生於此條疏通說：「此論甚通，具見有識！誠能推斯意以理群經，則意氣自消，惟求義理之安，不存門戶之異，庶可免無謂爭辯矣。」消除門戶之見，正是舜徽先生始終秉持的學術理念。

《四庫提要敘》申明欲在漢、宋之間「消融門戶之見，而各取所長」。舜徽先生肯定這一論斷的積極意義，但同時也敏銳地指出事實上《四庫提要》並未踐行這一宗旨：「然通觀全書，於評定學術高下、審斷著述精粗之際，仍多揚漢抑宋之辭。」舜徽先生指出，所謂漢宋之分，實是清儒門戶之見的產物。《講疏》說：「『漢學』、『宋學』之名，發自清儒。名之不正，孰甚於此。最初見於《四庫提要》，其後江藩撰《漢學師承記》、《宋學淵源錄》，於是門戶之見，牢不可破，彼此攻詰，勢同水火。當江氏《漢學師承記》始成，龔自珍即遺書規之，斥其立名有十不安。……龔氏識議通達，足以益人意智。且勸江氏改書名為《國朝經學師承記》，江氏智不逮此，未之省也。」在治學實踐中，舜徽先生則始終堅持漢宋兼采、不偏袒於一家，《提要・詩類敘》論「鳥獸草木之名，訓詁聲音之學，皆事須考證，非可空談」，其後又說：「今所采輯，則尊漢學者居多焉。」舜徽先生於此條疏證說：「余早歲治《詩》，主於融合漢宋，各取所長。以為漢唐長於訓詁名物，宋人善於體會辭意，貫通疏說，可以弗畔。」舜徽先生又錄其未及完成之《毛詩講疏敘》，闡發其融彙漢宋之為學宗旨說：「自清儒治經，大張漢幟，率屏棄宋人經說不觀，迄於今三百年矣。平心論之，清儒惟考證名物之情狀，審別文字之異同，足以跨越前人。至於引申大義，闡明《詩》意，不逮宋賢遠甚。二三拘儒，遽欲以廣搜博引，上傲宋賢，斯亦過矣。余早歲治《詩》，於陳氏《毛詩傳疏》，讀之三反；旁涉乾嘉諸儒考證之書，鍥而不舍。及反而求之註疏以逮宋賢遺說，始於篇中之微恉，詞外之寄託，恍然有悟，信足以發墨守而開疑滯。下視有清諸儒之書，直糟粕耳。雖然，訓詁之不明，則大義亦無由自見。清儒發疑正讀之功，亦豈可泯！顧以此為治經之始功則可，若謂治經之事遽止於此，則隘甚矣。輓近說經之弊有二：上焉者，蹈襲乾嘉以下經生餘習，以解字辨物為工；下焉者，則蔑棄傳注，以遊談臆斷相尚。舍大道以適荊棘，通經之效乃晦。今說《詩》而欲博關群言，折中至是，故凡毛、鄭義有漏略，輒采後起之說補苴之。取其長而不溺其偏，務在暢通大義，期於明習經文而止。亦間著己意，附於其末。釐為請恉、詩詁二目，錄成《講疏》，以與及門諸子詳焉。守此弗畔，其於《三百篇》之大義，庶有得乎！若猶存漢宋門戶之見，目為雜糅不倫，則非所以講明此經也。」舜徽先生於此段論說中，述其學思歷程：先於乾嘉諸儒考證之書，鍥而不捨。繼而求之註疏以逮宋賢遺說，竟憬然有悟，「信足以發墨守而開疑滯。下視有清諸儒之書，直糟粕耳。」故確立融合漢宋、各取所長之為學宗旨，並囑及門諸子守此弗畔，「若猶存漢宋門戶之見，目為雜糅不倫。」舜徽先生於漢、宋二家之優長，均給予充分注意。如在《詩經》研究上，他認為鄭玄不及朱熹；在三禮的研究上，他又認為鄭玄遠過宋賢：「鄭氏遍注三禮，為世所宗。」「宋人於名物度數，不能與之立異，惟力詆鄭氏好以緯候說經……要之，三禮自是鄭學。其於勘正文字異同，疏說名物情狀，厥功不細，非可妄議，未宜以其小疵掩其大醇也。」同時，他也肯定宋儒治禮的獨到之處：「漢儒說禮，考禮之制；宋儒說禮，明禮之義，各有攸長，自可兼采。」先生之教誨，是為學之康衢，當謹遵無違。

舜徽先生反對獨尚儒家、貶低諸子之傾向。四庫館臣以漢學家居多，梁啟超徑稱四庫館為漢學家「大本營」。館臣門戶之見甚深，崇漢抑宋是一端。除此之外，尚有以儒學為尚、貶低諸子學說的傾向。《提要·子部總敘》稱頌「儒家尚矣」，而將儒家經史之外的學術流派都視為「雜學」。舜徽先生在《講疏》中對諸子學說源流給予辨析，對其價值也積極肯定。《提要·法家類敘》稱「刑名之學，起於周季，其術為盛世所不取。然流覽遺篇，兼資法戒。觀於管仲諸家，可以知近功小利之隘；觀於商鞅、韓非諸家，可以知刻薄寡恩之非。鑒彼前車，即所以克端治本。曾鞏所謂不滅其籍，乃善於放絕者歟。」《講疏》則力辨「此儒家正統之見，未足以為定論也。諸子之言，皆主經世，各有所偏，亦各有所長，苟能取其所長而不溺其所偏，自能相輔為用，有益治理。曠觀歷代興亡，亦何嘗專任儒術以致治者乎？」舜徽先生之論展示出對中國古代統治術的深切把握，故對於《總目》之論的駁正，深得要諦。

㈡「瞭解之同情」的歷史主義態度。

舜徽先生論學具有通透的歷史感，能在時代演變的脈絡中對學者或學派給予「同情的瞭解」。如關於漢宋之爭之批評，一般學者多從「爭」的得失去評論，而舜徽先生之解說卻秉「瞭解之同情」的立場，謂：「習尚移人，賢者不免。」又說：「讀是書者，宜知其論列古今，自不無偏袒之見也。良以紀昀學術根柢，仍在考證。江氏《漢學師承記》，取與江永、金榜、戴震諸家並列，以其治學趨向同耳。其撰述《提要》有所軒輊，不足怪也。」又如，《提要．詩類敘》稱：「夫解《春秋》者，惟《公羊》多駁，其中高子、沈子之說，殆轉相附益。……即成伯璵等所指篇首一句，經師口授，亦未必不失其真。然去古未遠，必有所受。意其真贋相半，亦近似《公羊》。全信全疑，均為偏見。」《講疏》則說：「其實古人之書，皆由手寫；每喜各記所聞，附於其尾。書之不出於一手，不成於一時，乃常有之事。又古書多不標作者主名，後世不能的指其出於誰手，不足怪也。」又如，《提要．地理類敘》云：「元明以後，體例相沿。列傳侔乎家牒，藝文溢於總集。末大於本，而輿圖反若附錄。其間假借夸飾，以侈風土者，抑又甚焉。」《講疏》

謂：「我國繪製地圖之法，發明甚早。……圖與書並重，由來舊矣。……惟地圖繪製不易，保存亦難；不比文字，鈔錄即可傳世。元明以後之修志者，多尚空文，憚存實跡，輿圖降為附錄，不足怪也。」又如，《提要．五經總義類敘》：「漢代經師如韓嬰治《詩》兼治《易》者，其訓故皆各自為書。」《講疏》曰：「漢承秦火之後，書缺簡脫，其後搜亡書，立博士，利祿之途既開，因以起家者不少。經籍初出，口耳相傳，苟不審其從來，則造偽取寵者滋眾。漢世經生之必尚專門，重師承，注者多門，必稱其氏以別眾家，皆出於不得已也。」此幾段論述中，所言「不足怪也」、「不得已也」無不顯示一種寬廣、豁通的學術胸襟與氣魄，從而與糾纏於歷史細節之小儒判若雲泥。

舜徽先生又主張學術評論未可因人廢言。此觀念尤見於對錢謙益之評價。《提要．集部總敘》稱錢謙益《列朝詩集》「顛倒賢姦，彝良泯絕，其貽害人心風俗者，又豈尠哉！」舜徽先生認為這一評論「非定評也」。《講疏》稱《列朝詩集》：「入選者一千六百餘家。是書廣攬兼收，無分男女貴賤，朝野華夷，以逮沙門道士。但錄其詩，不論其人。逸篇零什，賴以保存者不少。在總集中為創格，於徵文考獻，不為無補。後人徒以謙益為兩朝人物，節概行事，多可訾議，故論者多鄙薄之。然吾嘗讀其《初學集》、《有學集》，如其湛深經史，學有本原，論議通達，多可取者。當時閻若璩以學問雄海內，而生平最欽服者三人，自顧炎武、黃宗羲外，則謙益也。又曾列謙益之名冠十四聖人之首。其推崇之至此，夫豈阿其所好哉！」是為通豁之言。

舜徽先生學問博大。一九六二年，舜徽先生出版《中國古代史籍校讀法》，顧頡剛飛書盛讚說：「綱舉目張，顯微索隱，為初學引導正路，諄諄以教，苦口婆心，俾其於摸索之中，得見明燈，歡喜讚歎，當不止剛一人也。」翌年，增訂本《廣校讎略》於中華書局出版，顧頡剛又來信祝賀，稱「信條理中國學術，惟先生為當行也」。❷同年十一月，先生之《清人文集別錄》問世，顧頡剛讀後不勝欣喜，釋卷之後，當即提筆修書云：「先生所著諸書，示學者以途徑。啟牖之功，實在張香濤《輶軒語》、《書目答問》之上。然彼二書，對我輩之效用已極巨。先生別白是非，指明優劣。上紹向、歆之業，下則藐視紀昀之書，其發生影響之大，固不待言也。」❸二〇〇二年，《講疏》一書於學生書局出版，胡楚生先生為是書作

〈跋〉，謂「舜徽先生所撰《四庫提要敘講疏》一書，其於《四庫提要》中四十四類小序，四部總序，一一為之詳加疏解，細作箋釋，明其淵源，暢其流別。讀是書者，手此一編，而於《四庫總目》所有各序，委實有觀瀾索海、探本尋源之樂，亦不啻周覽數十種學術流變之發展史也，則其有功於後學者，豈淺鮮哉」。❹劉夢溪先生曾稱譽說：「章黃之後，如果還有國學大師的話，錢賓四先生和張舜徽先生最當之無愧。」又稱舜徽先生「學兼四部」，「是真正的通儒，所為學直是通人之學。」❺誠哉斯言！

---

❷ 張舜徽：〈懷念頡剛先生，學習頡剛先生〉，《訒庵學術講論集》，嶽麓書社，一九九二年，頁四〇五頁。

❸ 張舜徽：〈懷念頡剛先生，學習頡剛先生〉，《訒庵學術講論集》，嶽麓書社，一九九二年，頁四〇六頁。

❹ 胡楚生：《四庫提要敘講疏‧跋》，臺灣學生書局，二〇〇二年。

❺ 劉夢溪：〈學兼四部的國學大師——張舜徽先生百年誕辰述感〉，《光明日報》二〇一一年六月二十日，第十五版。

國家圖書館出版品預行編目資料

四庫提要敘講疏

張舜徽著. – 初版. – 臺北市：臺灣學生，2002
面；公分

ISBN 978-957-15-1112-2(平裝)

1. 四庫全書 – 目錄

018.16　　90023105

四庫提要敘講疏

著 作 者　張舜徽
出 版 者　臺灣學生書局有限公司
發 行 人　楊雲龍
發 行 所　臺灣學生書局有限公司
地　　址　臺北市和平東路一段 75 巷 11 號
劃撥帳號　00024668
電　　話　(02)23928185
傳　　真　(02)23928105
E-mail　student.book@msa.hinet.net
網　　址　www.studentbook.com.tw
登記證字號　行政院新聞局局版北市業字第玖捌壹號
定　　價　新臺幣三〇〇元

二〇〇二年三月初版
二〇二二年七月初版三刷

01801

ISBN 978-957-15-1112-2 (平裝)

臺灣學生書局出版

文獻學研究叢刊

❶ 中國目錄學理論 周彥文著
❷ 明代考據學研究 林慶彰著
❸ 中國文獻學新探 洪湛侯著
❹ 古籍辨僞學 鄭良樹著
❺ 兩岸四庫學：第一屆中國文獻學學術研討會論文集 淡大中文系編
❻ 中國古代圖書分類學研究 傅榮賢著
❼ 馬禮遜與中文印刷出版 蘇　精著
❽ 來新夏書話 來新夏著
❾ 梁啓超研究叢稿 吳銘能著
❿ 專科目錄的編輯方法 林慶彰主編
⓫ 文獻學研究的回顧與展望：第二屆中國文獻學學術研討會論文集 周彥文主編
⓬ 四庫提要敘講疏 張舜徽著
⓭ 圖書文獻學論集 胡楚生著
⓮ 書林攬勝：臺灣與美國存藏中國典籍文獻概況——吳文津先生講座演講錄 淡大中文系編
⓯ 章學誠研究論叢：第四屆中國文獻學學術研討會論文集 陳仕華主編
⓰ 近現代新編叢書述論 林慶彰主編
⓱ 古典文獻的考證與詮釋：第 11 屆社會與文化國際學術研討會論文集 淡江大學中國文學學系周德良主編
⓲ 明清時期臺南出版史 楊永智著
⓳ 當代新編專科目錄述評 林慶彰主編
⓴ 舉業津梁：明中葉以後坊刻制舉用書的生產與流通 沈俊平著
㉑ 中國文獻學理論 周彥文著